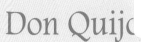

# Don Quijo...

Adaptatión didáctica y actividades por **Carmelo Valero Planas**

Ilustraciones de **Giovanni Manna**

Redacción: Maria Grazia Donati
Diseño y dirección de arte: Nadia Maestri
Maquetación: Carlo Cibrario-Sent, Simona Corniola
Búsqueda iconográfica: Alice Graziotin

© 2014 Cideb
Primera edición: enero de 2014

Créditos fotográficos:
Istockphoto; Dreams Time; Shutterstock Images; Album/Prisma/
Contrasto: 4; Getty Images: 5; Universal Images Group/Getty
Images: 7; DeAgostini Picture Library: 56; © Lebrecht Authors/
Lebrecht Music & Arts/Corbis: 57; DeAgostini Picture Library: 58ar;
© Salvador Dali, Gala-Salvador Dali Foundation/Artists Rights
Society (ARS), New York/Bettmann/CORBIS: 58ab; Alex Robinson/
JohnWarburton-Lee/Cuboimages: 71; © MIKADO/WebPhoto: 108,
109; Album/Miguel Raurich/Contrasto: 123.

Todos los sitios internet señalados han sido verificados en la fecha
de publicación de este libro. El editor no se considera responsable de
los posibles cambios que se hayan podido verificar. Se aconseja a los
profesores que controlen los sitios antes de utilizarlos en clase.

Para cualquier sugerencia o información se puede establecer
contacto con la siguiente dirección:
info@blackcat-cideb.com
blackcat-cideb.com

Member of CISQ Federation

RINA
ISO 9001:2008
Certified Quality System

The design, production and distribution of educational materials
for the Black Cat brand are managed in compliance with the rules of
Quality Management System which fulfils the requirements of the
standard ISO 9001 (Rina Cert. No. 24298/02/S - IQNet Reg. No. IT-80096)

ISBN  978-88-530-1428-3   libro + CD

Printed in Croatia by Grafički zavod Hrvatske d.o.o., Zagreb

# Índice

Texto integralmente grabado.

Este símbolo indica las actividades de audición.

DELE   Este simbolo indica las actividades de preparación al DELE.

@ Mp3   Este símbolo indica los capítulos descargables de nuestro sitio Internet.

*Miguel de Cervantes Saavedra* (1547-1616).

# La actualidad de Cervantes
## *y de los personajes*
## *de su novela*

**Cuatrocientos años pero no los demuestra**

Corría el año 1605 cuando, en una imprenta de Madrid, se terminaba de imprimir un libro que tenía por extraño título *El ingenioso hidalgo don Quijote de la Mancha*.

Esta es la obra cumbre de Cervantes, del estudiante de Alcalá de Henares, del adolescente que se bate en duelo y tiene que huir a Italia, del soldado que lucha en Lepanto perdiendo un brazo, del cautivo

en Argel, del poeta y dramaturgo que fracasa en su búsqueda de gloria y fama, del recaudador de impuestos de la corona que visita con asiduidad la cárcel, del hombre al que se niega la petición para emigrar a América, de una biografía, en fin, que resume una peripecia vital tan vasta, rica y amarga como la de sus afamados personajes. Sin esta vastísima experiencia de la España a caballo de los siglos XVI y XVII, que acaba de enterrar a Felipe II y ve ya el ocaso, sin el minucioso conocimiento que Cervantes demuestra tener de todas las facetas de la vida y milagros de aquel mundo a punto de derrumbarse en una decadencia estrepitosa, *El Quijote* no sería un libro tan grande ni tan rico.

Con *El Quijote*, Cervantes creó un personaje que se salía de toda convención. Aunque una de sus intenciones era burlarse de los libros de caballerías, pero está claro que esta obra dice muchas más cosas.

*Monumento a Cervantes, don Quijote y Sancho Panza. Madrid, Plaza de España.*

El mismo Cervantes dice de su novela que "los niños la manosean, los jóvenes la leen, los adultos la entienden y los viejos la celebran".

Un famoso filósofo y escritor español, Miguel de Unamuno, dice que si don Quijote tiene tanto éxito es por lo que es capaz de decir a cada generación. Y lo que ocurre es que este famoso personaje ha pasado a la historia por algo muy característico en todos los locos, los niños y los viejos: siempre dicen la verdad.

Aunque hoy en día, el contexto político, social y cultural ha cambiado, los personajes de don Quijote y Sancho son universales y de total actualidad. Cervantes supo revelar lo más esencial del ser humano y esto no cambia con el tiempo.

La capacidad del *Quijote* de atravesar el tiempo y ser fecundo en tantas épocas y lugares distintos, para tantos autores diferentes, esa capacidad de afrontar retos tan diversos, habla por sí sola de la riqueza de un texto que fascina tanto por su complejidad y diversidad técnica – *El Quijote* es un auténtico manual de las técnicas literarias de la novela – como por el extraordinario universo narrativo que crea, en el que, por así decirlo, toda la vida humana está presente.

Los dos personajes son complementarios, las dos caras de una misma medalla, las contradicciones de cada persona.

Al principio, Sancho Panza es rudo, codicioso y mezquino, pero al contacto con don Quijote poco a poco va refinándose, incluso en la manera de hablar. Se acerca a lo ideal, alejándose del pragmatismo que lo caracteriza. Al mismo tiempo, don Quijote va perdiendo, o dejando, un poco de su locura e idealismo y se aproxima a lo real.

En las figuras de don Quijote y Sancho, en sus relaciones y conflictos, en su hacer y deshacer, en su forma dual de interpretar el mundo y relacionarse con él (desde lo ideal y desde lo real), se va creando una imagen completa y compleja de la vida, abierta a interpretaciones múltiples, que tiene la virtud de ayudar a plantearse y esclarecer problemas esenciales a cualquier lector de cualquier época.

Además de su experiencia y sus conocimientos, Cervantes puso algo aun más valioso en su libro: la profunda sabiduría extraída de la cultura popular hispana. Esa sabiduría representa hoy lo más valioso del *Quijote*.

## Comprensión lectora

**DELE ①** Después de haber leído el texto, conteste a las preguntas (1-7). Seleccione la respuesta correcta (a, b, c).

1 En el texto se dice que Cervantes...

    a ☐ nació en Madrid.

    b ☐ perdió un brazo en un duelo.

    c ☐ se quedó manco en la batalla de Lepanto.

2 El texto nos informa de que el autor de la novela:

    a ☐ emigró a América.

    b ☐ lo llevaron prisionero al norte de África.

    c ☐ no le gustaba la gloria y la fama.

3 Según el texto, lo que une a los locos, viejos y niños es...

    a ☐ que todos leen *El Quijote*.

    b ☐ que son idealistas.

    c ☐ que nunca dicen mentiras.

4 Dice el texto que si *El Quijote* es actual se debe a que...

    a ☐ el texto es muy rico y ameno.

    b ☐ el ser humano es siempre el mismo.

    c ☐ Cervantes escribía para todos los públicos.

5 Según el texto, Cervantes escribió la famosa novela...

    a ☐ cuando era adolescente.

    b ☐ en los últimos años de su vida.

    c ☐ en la cárcel.

6 El texto dice que don Quijote y Sancho...

    a ☐ se alejan uno del otro cada vez más.

    b ☐ van acercándose y comprendiéndose poco a poco.

    c ☐ están en desacuerdo sobre cualquier cuestión.

7 Lo mejor que Cervantes puso en su libro se debe...

    a ☐ a su gran experiencia como escritor.

    b ☐ a su sensibilidad.

    c ☐ a su inspiración en la cultura popular.

# Personajes

# Antes de leer

## Léxico

**1** En el capítulo siguiente salen estas palabras y expresiones (a-f). Asocia cada una de ellas con el significado correspondiente (1-6).

a ☐ corral

b ☐ poca sal en la mollera

c ☐ ojeriza

d ☐ alcaide

e ☐ salpicón

f ☐ tuerto

1 Plato elaborado con carne desmenuzado, cocido y condimentado con sal, pimienta, aceite, vinagre y cebolla.
—Hoy a mediodía quiero probar el ........................................., me han dicho que en un restaurante del centro lo hacen muy bien.

2 Falto de la vista de un ojo.
—A pesar de ser ........................................., sigue conduciendo sin problemas.

3 Encargado de la guardia y defensa de algún castillo o fortaleza.
—Esta noche en la capilla quiero que el ......................................... me arme caballero.

4 Antipatía hacia alguien.
—Tengo la impresión que la prof me tiene ........................................., nunca le va bien lo que hago.

5 Persona de poca cultura, torpe, obstinada.
—Tengo un alumno con muy ........................................., no entiende nada de lo que explico en clase.

6 Sitio cerrado y descubierto, en una casa o en el campo, que sirve generalmente para guardar animales.
—Ahora voy al ......................................... a ver si las gallinas han puesto algún huevo.

## Que trata de la condición del famoso hidalgo, de la primera salida y de la graciosa manera que tuvo don Quijote en armarse caballero.

E n un lugar de la Mancha, de cuyo nombre no quiero acordarme, no hace mucho tiempo vivía un hidalgo de los de lanza en ristre, adarga antigua, rocín flaco y galgo corredor. Una olla de algo más vaca que carnero, salpicón casi todas las noches, duelos y quebrantos los sábados, lentejas los viernes y algún palomino de añadidura los domingos. Era de complexión fuerte, seco de carnes y enjuto de rostro, gran madrugador y amigo de la caza. Se alimentaba y vestía pobremente y poseía un caballo flaco y un perro de caza. Tenía unos cincuenta años y como sobrenombre Quijada o Quesada. Vivían en su casa un ama que pasaba de los cuarenta y una sobrina que no llegaba a los veinte.

**11**

Los ratos que estaba ocioso, que eran los más del año, leía libros de caballerías con tanta afición y gusto, que se olvidó de la caza, que tanto le gustaba, e incluso de la administración de su casa, llegando a vender parte de sus tierras para comprar todos los libros de caballerías que encontraba.

Leía tanto que le pasaban las noches de claro en claro y los días de turbio en turbio. Y así, de mucho leer y de poco dormir, se le secó el cerebro y perdió la razón. Se le llenó la cabeza de fantasías y disparates, y llegó a creer que las batallas, los desafíos, los amores y todas las invenciones que leía, eran verdaderas.

Cuando perdió completamente el juicio, le pareció necesario hacerse caballero andante, y partir por todo el mundo a buscar aventuras.

Lo primero que hizo fue limpiar unas armas que conservaba en el granero y que habían pertenecido a sus bisabuelos, e ir a ver a su caballo, que era piel y huesos, pero a él le pareció el mejor del mundo. Cuatro días se le pasaron en imaginar qué nombre le pondría, y finalmente lo llamó Rocinante.

Pasó otros ocho días pensando en un nombre para sí mismo, y decidió llamarse don Quijote, al que añadió «de la Mancha», para honrar a su patria.

Solo le faltaba una dama a quien rendir homenaje y ofrecerle todas sus victorias. Vivía cerca de allí una muchacha labradora, de la que un tiempo estuvo enamorado, aunque ella jamás lo supo. Se llamaba Aldonza Lorenzo y don Quijote le dio el título de princesa y señora de sus pensamientos, llamándola Dulcinea del Toboso, porque era natural del Toboso.

Una calurosa mañana del mes de julio, sin decir nada a nadie, se armó de todas sus armas, subió sobre Rocinante, tomó su lanza y, por la puerta falsa del corral, salió al campo, contentísimo de ver con cuánta facilidad había dado principio a su buen deseo.

Pero apenas se vio en el campo, tuvo un pensamiento terrible: según la ley de caballería, no podía ni debía combatir contra ningún caballero si antes no se hacía armar caballero, como se decía en los libros que él leía.

Así anduvo todo el día, y al anochecer, él y su caballo estaban muertos de hambre y de cansancio.

Vio una venta y fue como ver una estrella, pues le pareció que era un castillo con sus cuatro torres y su puente levadizo. Dos sirvientas que allí estaban le parecieron dos hermosas doncellas, las cuales, al verle tan extrañamente vestido, tuvieron miedo.

—No tengáis miedo, nobles damas e ilustres doncellas, mi único deseo es el de serviros.

Ellas, sintiéndose llamar damas, palabra tan lejos de su profesión, no pudieron contener la risa.

El ventero, hombre gordo y pacífico, viendo aquella figura tan extraña, se echó a reír, pero viendo que don Quijote empezaba a ofenderse le dijo:

—Si busca posada, aquí la hallará.

Don Quijote, creyendo que era el alcaide del castillo, le dijo:

—Señor, cualquier plato será suficiente, porque las armas son mi equipaje, las duras piedras mi cama y el combate mi descanso.

Las dos sirvientas le ayudaron a despojarse de su armadura, y él, pensando que eran algunas principales señoras de aquel castillo, les dijo con mucha gracia:

| | |
|---|---|
| —Nunca fuera caballero | cuando de su aldea vino |
| de damas tan bien servido | doncellas curaban de él |
| como fuera don Quijote | princesas de su rocino. |

Terminada la cena, llamó al ventero y, encerrándose con él en la caballeriza, de rodillas le dijo:

—Esta noche, en la capilla de vuestro castillo, velaré las armas y mañana me habéis de armar caballero.

Como el ventero le tenía miedo, pues veía que estaba loco, al poco tiempo vino hasta él acompañado de las dos sirvientas y de un muchacho que traía una vela.

Le ordenó ponerse de rodillas, y murmurando plegarias inventadas, le dio un golpe con la espada en la espalda. Acabada la ceremonia, el ventero, sin pedirle dinero por el albergue, le dejó partir inmediatamente.

Era el alba cuando don Quijote salió de la venta muy contento de verse armado caballero. Se dirigía a casa porque pensaba que le hacía falta un buen escudero, cuando vio a un numeroso grupo de mercaderes de Toledo que iban a comprar seda a Murcia.

Pensó que eran caballeros y que iba a vivir una nueva aventura y les dijo:

—Alto, que nadie pase de aquí, si antes no declaráis que no existe en el mundo doncella más hermosa que la emperatriz de la Mancha, Dulcinea del Toboso.

Los mercaderes se pararon a mirar aquella extraña figura y comprendieron que estaba loco. Uno de ellos, un poco burlón, dijo:

—Caballero, no conocemos a esa señora. Mostradnos algún retrato de ella que, aunque sea tuerta, para complaceros, diremos en su favor lo que queráis.

—No es tuerta, canalla, infame. ¡Pagaréis la gran blasfemia contra mi señora!

Y diciendo esto, agredió con la lanza al que había hablado.

Pero Rocinante tropezó y cayó al suelo con su amo. Un mozo de

mulas cogió la lanza, la rompió, y con un pedazo empezó a pegarle dejándolo medio muerto, mientras don Quijote decía:

> —¿Dónde estás, señora mía,
> que no te duele mi mal?
> O no lo sabes, señora,
> o eres falsa y desleal.

Por casualidad, pasó por allí un labrador de su pueblo. Al conocerle, lo montó en su asno y lo llevó a su casa.

Era ya de noche y en casa de don Quijote estaban sus amigos, el cura y el barbero. Todos se lamentaban de su locura, y sabían que la causa eran los libros de caballerías.

La sobrina estaba de acuerdo y aun decía más:

—Tiene que saber, señor Nicolás —que este era el nombre del barbero— que muchas veces he visto a mi tío leer estos desalmados libros de desventuras dos días con sus noches, y cuando estaba muy cansado, decía que había muerto a cuatro gigantes como cuatro torres; y el sudor que sudaba del cansancio, decía que era la sangre de las heridas que había recibido en la batalla... La culpa de todo es mía por no haber avisado antes de los disparates de mi señor tío.

Todos tomaron una decisión.

Mientras don Quijote dormía, entraron en la biblioteca, tiraron por la ventana todos los libros que encontraron y les prendieron fuego en el corral. Después, levantaron un muro donde se encontraba la biblioteca. Al cabo de algunos días, don Quijote se levantó y fue a ver sus libros pero no encontró nada.

El ama y la sobrina le dijeron que la habitación y todos los libros se los había llevado un encantador llamado Frestón.

—Bien puede ser —dijo don Quijote— ese es un sabio, grande enemigo mío que me tiene ojeriza.

Estuvo quince días en su casa, tranquilo, conversando con sus dos amigos.

Entretanto, fue a casa de un vecino suyo, hombre de bien (si es que este título se puede dar al que es pobre), pero de muy poca sal en la mollera, para pedirle que fuera su escudero y saliera con él a buscar aventuras. Además le prometió hacerle gobernador de alguna de las islas que iba a conquistar. Con estas promesas y otras tales, Sancho Panza (que así se llamaba el labrador) dejó a su mujer y a sus hijos y se convirtió en el escudero de su vecino.

Don Quijote empezó a malvender sus cosas para reunir dinero. Recomendó a Sancho llevar alforjas y él le respondió que también iba a llevar su asno, ya que no estaba acostumbrado a andar.

Hicieron su equipaje y sin despedirse Panza de sus hijos y mujer, ni don Quijote de su ama y sobrina, una noche salieron del lugar sin que nadie los viese. Caminaron tanto que, al amanecer, estaban seguros de que no los encontrarían aunque los buscasen. Iba Sancho Panza sobre su jumento como un patriarca, con sus alforjas y su bota[1], y con mucho deseo de verse ya gobernador de la ínsula que su amo le había prometido.

---

1. **bota** : recipiente para vino hecho de cuero.

# Después de leer

## Comprensión lectora

DELE **1** Después de haber leído el capítulo, debe contestar a las preguntas (1-6). Seleccione la respuesta correcta (a, b, c).

**1** Según el texto, el hidalgo...
- a ☐ se levantaba siempre muy pronto.
- b ☐ era bastante gordo.
- c ☐ vivía solo en su casa.

**2** El texto dice que don Quijote...
- a ☐ tenía poco tiempo libre.
- b ☐ su ama era de media edad.
- c ☐ vendía libros para comprar tierras.

**3** Se dice en el texto que...
- a ☐ don Quijote se volvió loco porque leía demasiado.
- b ☐ don Quijote compró unas armas.
- c ☐ Dulcinea era una princesa del Toboso.

**4** Afirma el texto que al verse armado caballero, don Quijote...
- a ☐ pagó su estancia al ventero.
- b ☐ salió de la venta al amanecer.
- c ☐ se fue a casa a buscar a Dulcinea.

**5** Según el capítulo, don Quijote...
- a ☐ agredió a los mercaderes porque uno se burló de Dulcinea.
- b ☐ puso en fuga a los mercaderes.
- c ☐ derribó con su lanza a uno de ellos.

**6** El texto dice que...
- a ☐ un labrador llevó a don Quijote en su caballo.
- b ☐ los amigos de don Quijote le quemaron todos los libros.
- c ☐ Sancho era un hombre muy inteligente.

### Léxico

**DELE ❷** Lea el siguiente texto, del que se han extraído seis fragmentos. A continuación lea los siete fragmentos propuestos (A-G) y decida en qué lugar del texto (1-5) hay que colocar cada uno de ellos. Hay dos fragmentos que no tiene que elegir.

En *El Quijote* se mencionan o sugieren muchos tipos de manjares, pero, es en el primer párrafo del primer capítulo, en la descripción que se hace de don Alonso Quijano, donde Cervantes nos cuenta la dieta habitual del personaje, (1) .............................

En la época de Cervantes, la "olla" u "olla podrida" era el plato rey de toda la semana. Es lo que actualmente se denomina cocido.

Se comía casi a diario y, (2) ............................. Existían muchas recetas para elaborarla (básicamente se trataba de cocer distintos tipos de carne con garbanzos y algunas verduras).

(3) ............................. En el siglo XVII, la vaca era más barata que el carnero y casi no se consumían animales jóvenes como ternera o cordero.

(4) ............................. El salpicón era un plato de restos del cocido que consistía en mezclar carne con sal, vinagre, aceite, pimienta, ajos y especias; los duelos y quebrantos eran una cena ocasional con productos de matanza; las lentejas, eran el remedio del día de vigilia; y el palomino, es una paloma joven. (5) .............................

Aparte de este menú semanal, Cervantes recoge en *El Quijote* un extenso recetario de la cocina manchega.

### FRAGMENTOS

**A** Dependiendo de si se era pobre o rico, la olla tenía más o menos carne.

**B** lo que solía comer a lo largo de la semana.

**C** Todas las demás recetas son secundarias.

**D** En la cocina manchega difícilmente se come carne de cordero o de vaca.

**E** para gran parte de la población constituía el único alimento.

**F** Don Quijote comía palomas porque era rico y tenía un palomar en su casa.

**G** Este era un lujo que solo se podían permitir los dueños del palomar.

## Comprensión auditiva

**DELE ❸** Usted va a escuchar a Sancho Panza y a su mujer hablando de la cocina
manchega. Después debe contestar a las preguntas (1-7). Seleccione la
opción correcta (a, b, c).

**1** Sancho dice que los platos manchegos...
- **a** ☐ los cocinan los pastores y los labradores.
- **b** ☐ tienen muchas calorías.
- **c** ☐ tienen poca variedad.

**2** Sancho come sopa de ajo...
- **a** ☐ todos los días del año.
- **b** ☐ con frecuencia.
- **c** ☐ cuando está en el menú.

**3** A Sancho le gusta un plato típico que cocina...
- **a** ☐ una mujer.
- **b** ☐ una pariente suya.
- **c** ☐ su esposa.

**4** En la receta del plato...
- **a** ☐ el ajo se muerde con los dientes.
- **b** ☐ el pan tiene que estar seco.
- **c** ☐ el jamón tiene que cortarse muy fino.

**5** Las rebanadas de pan...
- **a** ☐ se fríen en un poquito de aceite.
- **b** ☐ no hay que cortarlas demasiado finas.
- **c** ☐ hay que freírlas en mucho aceite.

**6** Se pone todo en el horno...
- **a** ☐ durante diez minutos.
- **b** ☐ cuando las claras se ponen blancas.
- **c** ☐ en un recipiente de porcelana.

**7** La economía de La Mancha provenía...
- **a** ☐ de los restaurantes típicos.
- **b** ☐ de la industria.
- **c** ☐ de los animales y productos agrícolas del territorio.

## Gramática

DELE **4** **Lea el texto y rellene los huecos (1-16) con la opción correcta (a, b, c).**

El protagonista de esta novela (**1**) .......... un personaje tragicómico que (**2**) .......... de leer libros de caballerías (**3**) .......... la razón. No tenía (**4**) .......... interés por otra cosa que no (**5**) .......... las historias de caballeros andantes. (**6**) .......... pobremente y come (**7**) .......... lo suficiente para sostenerse. Aunque le (**8**) .......... mucho la caza, se olvida de ella (**9**) .......... no tiene tiempo. Vende parte de sus tierras (**10**) .......... comprar libros y más libros. Al final, como consecuencia de todo esto (**11**) .......... loco.

Limpia unas viejas armas (**12**) .......... tenía en el granero y se va (**13**) .......... caballo en busca de aventuras. (**14**) .......... primero que hace es armarse caballero porque (**15**) .........., no podía combatir contra (**16**) .......... caballero.

| | a | | b | | c | |
|---|---|---|---|---|---|---|
| 1 | a | está | b | es | c | eres |
| 2 | a | por fuerza | b | a fuerza | c | como |
| 3 | a | perdí | b | pierdes | c | pierde |
| 4 | a | ninguno | b | alguno | c | ningún |
| 5 | a | eran | b | fueran | c | serían |
| 6 | a | Vi | b | Vistiendo | c | Viste |
| 7 | a | algo | b | apenas | c | poco |
| 8 | a | guste | b | gustó | c | gusta |
| 9 | a | aunque | b | pues que | c | porque |
| 10 | a | por | b | para | c | en |
| 11 | a | se hace | b | se vuelve | c | se convierte |
| 12 | a | las que | b | que | c | las cuales |
| 13 | a | sobre | b | en | c | a |
| 14 | a | El | b | Lo | c | Por |
| 15 | a | si no | b | sino | c | así |
| 16 | a | algún | b | ningún | c | ninguno |

## El acento I

En español, todas las palabras tienen un acento. La sílaba **tónica** es la que se pronuncia con más intensidad. Las palabras **agudas** son las que tienen la sílaba fuerte, o tónica, en la **última**.

Llevan tilde (´) las que terminan en *vocal, -n* y *-s*.

☐ ☐ ☐ ■          ☐ ☐ ■          ☐ ■
casuali**dad**      deci**sión**      aquí

### Gramática

**5** Todas las palabras del cuadro salen en el capítulo y son agudas. Haz una lista de las que llevan tilde y escríbelas correctamente.

> decision    casualidad    burlon    aqui    dormir    razon
> jamas    reunir    tambien    ademas    asi    labrador
> segun    mujer    gobernador    corral

### Expresión e interacción escritas

DELE **6** Usted recibe una carta de una amiga en la que le pide la receta de una especialidad típica de su país para una cena muy importante. Conteste a su carta siguiendo estas indicaciones:

- Saludo.
- En qué situación compartieron la receta.
- Descripción de la receta: ingredientes, preparación...
- Buenos deseos para la realización de la receta.
- Despedida.

**Número de palabras: entre 150 y 180.**

### Expresión e interacción orales

DELE **7** En la página 15 del capítulo hay un dibujo. Usted tiene que describirlo durante 3 ó 4 minutos.

- ¿Que ve en el dibujo? ¿Qué cree que ha pasado?
- ¿Quiénes son las personas que aparecen? ¿Dónde están y qué están haciendo? ¿Por qué?

## De la condición del famoso hidalgo y de su primera salida y aventuras.

Después de haber caminado toda la noche, don Quijote y Sancho se encontraban en el Campo de Montiel, cuando descubrieron treinta o cuarenta molinos de viento.

—La buena suerte va guiando nuestras cosas mejor de lo que esperábamos —dijo don Quijote— porque ves allí, amigo Sancho, aquellos gigantes con los que pienso hacer batalla y quitarles a todos la vida y con sus despojos empezaremos a enriquecernos.

—¿Qué gigantes? —dijo Sancho.

—Aquellos que ves allí, de los brazos largos —respondió su amo.

—Mire vuestra merced —respondió Sancho— que aquellos no son gigantes sino molinos de viento, y lo que en ellos parecen brazos son aspas, que con el viento hacen andar al molino.

—Si tienes miedo, quítate de ahí y ponte a rezar.

Y diciendo esto lanzó Rocinante al galope gritando:

—No huyáis cobardes, que es un solo caballero el que os acomete.

Entonces se levantó un poco de viento y las grandes aspas comenzaron a moverse, a lo que don Quijote acometió a todo galope, invocando a su señora Dulcinea. Dio una lanzada en el aspa, y el viento la volvió con tanta furia, que hizo la lanza pedazos, tirando por el suelo al caballo y al caballero, que fue rodando malherido por el campo.

Acudió Sancho corriendo, y viendo que no podía levantarse, le ayudó a subir sobre Rocinante y siguieron su camino.

Era la hora de comer, y como don Quijote dijo que no tenía hambre, Sancho sacó de las alforjas lo que había puesto y empezó a comer y a beber, mientras iba sobre su asno detrás de su amo.

Pasaron aquella noche entre unos árboles.

A la mañana siguiente se dirigieron hacia Puerto Lápice donde llegaron al cabo de tres días. Y vieron que por el camino venían dos frailes de la orden de San Benito.

Detrás de ellos venía una carroza con cuatro o cinco de a caballo y dos mozos de mulas a pie. Iba en la carroza una señora de Vizcaya que se dirigía a Sevilla, donde estaba su marido que se marchaba a América.

—Esta va a ser una famosa aventura —dijo don Quijote—. Aquellos bultos negros deben de ser algunos encantadores que llevan raptada a alguna princesa en aquella carroza.

—Peor va a ser esto que los molinos de viento —dijo Sancho—. Mire señor, que son frailes de San Benito, y la carroza debe de ser de alguna gente pasajera.

—Ya te he dicho Sancho, que sabes poco de aventuras.

Se puso en mitad del camino, y cuando estaban cerca les dijo en alta voz:

—Gente endiablada, dejad a las princesas que en esa carroza lleváis forzadas, si no, preparaos a recibir la muerte, como castigo de vuestras malas obras.

Se detuvieron los frailes, sorprendidos de aquella extraña figura y de lo que decía y respondieron:

—Señor caballero, nosotros somos dos religiosos de la orden de San Benito y no sabemos quién va en esa carroza.

Sin esperar respuesta, arremetió contra el primer fraile, mientras el segundo echó a correr con su mula, más ligero que el viento.

Cuando Sancho empezó a quitarle los vestidos al otro fraile, como despojos de la batalla que su señor había ganado, los dos mozos lo molieron a palos y lo dejaron tendido en el suelo, sin aliento y sin sentido.

Entre tanto, un escudero vizcaíno que iba en la carroza le dijo:

—Anda caballero que mal andas, si no dejas pasar la carroza, aquí mismo te mato.

—Si fueras caballero —dijo don Quijote—, castigaría tu atrevimiento.

El ofendido escudero sacó su espada, y le dio tal golpe en el hombro que le cortó media oreja. Don Quijote se encomendó a su señora Dulcinea y, lleno de rabia, descargó su espada sobre la cabeza del escudero, que cayó al suelo sangrando. La señora de la carroza y sus criadas rezaban llenas de miedo pidiéndole el fin de la disputa, que don Quijote aceptó.

—¿Has visto caballero más valeroso que yo en toda la tierra? ¿Has leído historias de otro que tenga más valor que yo?

—La verdad es que yo no he leído ninguna —respondió Sancho— porque no sé leer ni escribir.

Montado en su Rocinante y Sancho en su asno, se adentraron en un bosque. Mientras conversaban, comieron de lo que había en las alforjas: una cebolla, queso y un trozo de pan.

Ya de noche, llegaron a unas chozas [1] de unos cabreros, que mostrando muy buena voluntad, les invitaron a cenar.

Después de la cena, don Quijote empezó a hablar de caballeros andantes y escuderos.

Aunque no entendían nada, todos le escuchaban admirados, pues notaron que estaba loco.

Muy entrada la noche, se fueron a dormir y don Quijote la pasó pensando en su señora Dulcinea.

Después de muchas otras desventuras, un día llegaron a una venta, que don Quijote tomó por un castillo, que el ventero era el señor de dicho castillo, y la sirvienta Maritornes una princesa bellísima. Entre malentendidos y palizas pasaron la noche.

A la mañana siguiente, don Quijote dijo al ventero:

—Muchas gracias por las mercedes que he recibido en este vuestro castillo. Os lo agradeceré todos los días de mi vida.

—Lo que tiene que hacer vuestra merced es pagarme la paja y la cebada para sus dos animales, la cena y las camas.

—Luego, ¿venta es esta? —replicó don Quijote.

—Y muy honrada —respondió el ventero.

—Pues los caballeros andantes jamás pagaron posada, porque se les debe buen acogimiento por los servicios que prestan.

—Poco tengo yo que ver con eso. Me pague lo que me debe y dejémonos de cuentos y de caballerías.

---

1. **choza** : vivienda miserable hecha con cualquier tipo de materiales.

—Sois un idiota y un mal hostelero —dijo don Quijote.

Y poniendo piernas sobre Rocinante salió de la venta sin mirar si le seguía su escudero.

El ventero que le vio marcharse acudió a cobrar a Sancho, el cual contestó que siendo escudero de tal caballero, tampoco él iba a pagar.

El ventero se enfadó mucho y lo amenazó.

La mala suerte de Sancho fue que en la venta había gente maleante, juguetona y alegre. Así que le hicieron apear del asno, cogieron una manta de la cama, le echaron en ella y, en el corral, que tenía por techo el cielo, comenzaron a levantarle en alto y a divertirse de él.

Las voces que daba el desventurado llegaron a oídos de su amo que, volviendo a la venta al galope, la halló cerrada. Como las paredes del corral no eran muy altas, vio cómo su escudero subía y bajaba por el aire, sin poder hacer nada para impedirlo.

Al final lo dejaron ir y cuando llegó contento por no haber pagado, pero pálido y mareado, don Quijote le dijo:

—Ahora estoy seguro que este castillo está encantado, porque aquellos que tan atrozmente se divertían contigo, no podían ser sino fantasmas y gente del otro mundo.

—Para mí que eran hombres en carne y hueso como nosotros, y lo que sería mejor es volvernos a casa, ahora que es tiempo de siega [2], y dejar de andar de la Ceca a la Meca.

—¡Qué poco sabes de caballería, Sancho! ¿Qué mayor contento puede haber en el mundo o qué gusto puede igualar al de vencer una batalla y el de triunfar de su enemigo? Ninguno, sin duda alguna.

---

2. **segar** : cortar la mies o la hierba para recolectarla.

—Así debe ser, que yo no lo sé. Solo sé que después que somos caballeros andantes, jamás hemos vencido batalla alguna, sino que, por el contrario, hemos recibido palizas por todas partes.

Mientras discutían, por el camino venía hacia ellos una grande y espesa polvareda por ambas partes.

Don Quijote pensó que eran dos ejércitos, que venían a luchar en medio de aquella grande llanura, y empezó a nombrar a muchos caballeros de los dos ejércitos cómo él los imaginaba en su locura. En realidad la polvareda la levantaban dos grandes ganados de ovejas y carneros.

—¿No oyes el relinchar[3] de los caballos, los clarines y el ruido de los tambores?

—No oigo otra cosa que el balido de ovejas y carneros.

—El miedo te confunde los sentidos, Sancho.

Y diciendo esto, montó como un rayo sobre su caballo y entró en medio del escuadrón de ovejas como si fueran sus enemigos mortales.

Los pastores que venían con la manada le daban voces, pero viendo que no hacía ningún caso, sacaron las hondas y empezaron a tirarle grandes piedras. Una de ellas le sepultó dos costillas en el cuerpo, y otra se llevó tres o cuatro dientes de la boca y le rompió dos dedos de la mano, haciéndolo caer del caballo. Los pastores, creyendo que estaba muerto, recogieron las reses muertas, que pasaban de siete, y sin averiguar otra cosa se fueron.

Sancho estuvo todo el tiempo escondido viendo las locuras de su amo y maldiciendo la hora en que le conoció.

Se hizo de noche, y viendo a don Quijote tan cansado, muerto de hambre y con pocas muelas y dientes, Sancho decidió llamarlo

3. **relinchar** : emisión vocal propia del caballo.

el Caballero de la Triste Figura. A don Quijote le gustó, y desde entonces quiso llamarse de esa manera.

Y así continuaba sus andanzas por el mundo enderezando entuertos[4] y deshaciendo agravios.

Mientras caminaban, descubrieron a un hombre a caballo, que traía en la cabeza una cosa que relucía como si fuera de oro.

—Donde una puerta se cierra otra se abre. ¿No ves aquel caballero que viene hacia nosotros, que lleva en la cabeza un yelmo de oro?

—Lo que yo veo —respondió Sancho— es un hombre sobre un asno con una cosa en la cabeza que brilla.

—Pues ese es el yelmo de Mambrino, que tanto he deseado, y será para mí.

En realidad, este hombre era un barbero que iba a hacer un servicio, y como llovía, para no manchar su sombrero, se había puesto el recipiente con el que afeitaba las barbas en la cabeza, y como estaba limpio, brillaba.

A don Quijote, que veía todo con su imaginación, le pareció que era un caballero con un yelmo de oro, y llegando a él, sin detener la furia de su carrera le dijo:

—¡Defiéndete cautiva creatura, o entrégame lo que con tanta razón se me debe!

El barbero, que vio venir aquel fantasma, bajó del asno y empezó a correr como el viento. Se dejó la bacía en el suelo, y don Quijote, muy contento, se la puso en la cabeza.

No habían caminado mucho, cuando vieron que venían doce hombres a pie, ensartados en una gran cadena de hierro en el

---

4. **entuerto** : daño causado a alguien injustamente.

cuello y esposados [5] en las manos. Venían con ellos dos hombres a caballo con escopetas y dos a pie con espadas.

—Esta es una cadena de galeotes, forzados del rey, que va a las galeras.

—¿Es posible que el rey fuerce a nadie? —dijo don Quijote.

—Digo que es gente que por sus delitos va condenada a servir al rey en las galeras, a la fuerza.

—En resolución —replicó don Quijote— como quiera que sea, los llevan por fuerza y no por su voluntad. Aquí encaja la ejecución de mi oficio, socorrer y acudir a los miserables.

—Advierta vuestra merced —dijo Sancho— que no son víctimas de una injusticia, sino que el rey los castiga por sus delitos.

Llegó la cadena de galeotes, y don Quijote quiso saber de cada uno de ellos qué delitos habían cometido para merecer tanta desgracia. Después de lo cual les dijo:

—Por lo que he oído, hermanos carísimos, he sacado en limpio que, aunque os han castigado por vuestras culpas, las penas que vais a padecer no os dan mucho gusto, y que vais a ellas de muy mala gana y muy contra vuestra voluntad, y quizá el torcido juicio del juez es la causa de vuestra perdición. Quiero pues rogar a estos señores guardianes que os desaten y os dejen ir en paz, que no faltarán otros que sirvan al rey en mejores ocasiones, porque me parece duro hacer esclavos a quienes Dios y la naturaleza hizo libres.

—¡Qué majadería! —respondió el comisario—. Quiere que soltemos a los condenados como si tuviéramos autoridad para hacerlo o él para ordenarlo. ¡Siga su camino, enderece ese bacín que lleva en la cabeza y no ande buscando tres pies al gato!

---

5.   **esposado** : sujeto con pulseras de hierro en las muñecas.

—¡Vos sois el gato y el bellaco!

Y arremetió contra él, tirándolo al suelo, malherido de una lanzada. Los otros guardas quedaron atónitos del no esperado acontecimiento, pusieron mano a sus espadas y arremetieron contra don Quijote. Mientras tanto, los galeotes, viendo la ocasión que se les ofrecía de recuperar la libertad, intentaron romper las cadenas.

La revuelta era tal que los guardas iban de los galeotes a don Quijote y viceversa, sin hacer cosa de provecho, y al final huyeron.

Entonces, don Quijote llamó a todos los galeotes y les dijo:

—De gente bien nacida es agradecer los beneficios que reciben, y uno de los pecados que a Dios más ofende es la ingratitud. Es mi voluntad que os pongáis en camino para ir a la ciudad del Toboso, y allí os presentéis ante la señora Dulcinea del Toboso, y le digáis que su caballero, el de la Triste Figura, ha tenido estas aventuras, hasta poneros en libertad, y hecho esto, os podáis ir donde queráis, a la buena ventura.

Y uno, llamado Ginés de Pasamonte, le respondió por todos y le dijo:

—Lo que vuestra merced nos manda, señor y libertador nuestro, es imposible cumplirlo, porque no podemos ir juntos por los caminos, sino solos y divididos, y cada uno por su parte, procurando meterse en las entrañas de la tierra, por no ser hallados de la Santa Hermandad [6], que sin duda alguna, ha de salir en nuestra busca. Lo que podemos hacer es rezar muchas avemarías y credos en honor de vuestra merced, porque hacer lo que nos dice es como pedir peras al olmo.

—¡Pues tenéis que hacerlo! —dijo en cólera don Quijote.

---

6. **Santa Hermandad** : tribunal que antiguamente perseguía y castigaba los delitos.

Viéndose tratar de aquella manera, Pasamonte hizo señas a sus compañeros y comenzaron a llover piedras sobre don Quijote, que no tenía manos para cubrirse. Sancho se puso tras su asno para defenderse de la nube de piedras que caía sobre ambos.

Uno de los galeotes fue sobre don Quijote que yacía en el suelo, le quitó la bacía de la cabeza, y le dio tres o cuatro golpes en la espalda, haciéndola pedazos. Desnudaron a los dos, y se repartieron los despojos de la batalla, marchando cada uno por su parte, de manera que la Santa Hermandad no pudiera encontrarlos.

Solos quedaron don Quijote, Sancho y Rocinante y el jumento avergonzado y pensativo, sacudiendo de cuando en cuando las orejas, pensando que aún no había cesado la borrasca de piedras.

Sancho en pelota y don Quijote enfadadísimo de verse tan maltratado por los mismos a quienes tanto bien había hecho.

—Siempre lo he oído decir, Sancho, que el hacer bien a villanos es echar agua en el mar. Paciencia y a escarmentar[7].

—Así escarmentará vuestra merced como yo soy turco. Suba a Rocinante y sígame, que el discernimiento me dice que necesitamos ahora más los pies que las manos.

Subió don Quijote sin replicar, y guiando Sancho sobre su asno, entraron por Sierra Morena, llevando intención de esconderse algunos días por aquellas montañas abruptas, para no ser encontrados por la Santa Hermandad.

7. **escarmentar** : estar decidido a no repetir la misma falta.

# Después de leer

## Comprensión lectora

**DELE ❶** Después de haber leído el capítulo, debe contestar a las preguntas (1-6). Seleccione la respuesta correcta (a, b, c).

**1** Según el texto, don Quijote cree que Sancho no le ayuda a luchar contra los gigantes...

   **a** ☐ porque sabe que no son gigantes sino molinos.

   **b** ☐ porque tiene miedo.

   **c** ☐ porque no sabe luchar.

**2** La señora de Vizcaya iba a Sevilla...

   **a** ☐ para viajar a América.

   **b** ☐ a despedirse de su marido.

   **c** ☐ de vacaciones.

**3** Según el texto, los dos frailes...

   **a** ☐ custodiaban la carroza.

   **b** ☐ se enfrentaron a don Quijote.

   **c** ☐ no tenían nada que ver con la carroza.

**4** El texto dice que los cabreros...

   **a** ☐ entendían lo que les contaba don Quijote.

   **b** ☐ lo escuchaban pero no se enteraban de lo que decía.

   **c** ☐ pensaban que era una persona normal.

**5** Sancho no leía ni libros ni novelas...

   **a** ☐ porque no tenía tiempo.

   **b** ☐ porque era analfabeto.

   **c** ☐ porque no le gustaban los libros de aventuras.

**6** Después de la batalla contra el ganado, Sancho...

   **a** ☐ admira la valentía de don Quijote.

   **b** ☐ decide volver a casa.

   **c** ☐ no habría querido conocerlo nunca.

**2** Don Quijote y Sancho tienen dos visiones diferentes de la realidad. Rellene los espacios en blanco.

| | Según don Quijote | Según Sacho Panza |
|---|---|---|
| 1 | Son ............................... | Son molinos de viento. |
| 2 | Son ............................... | Son las aspas. |
| 3 | Son unos encantadores. | Son ....................................... |
| 4 | Es ................................... | Es una venta. |
| 5 | Es el señor del castillo. | Es ....................................... |
| 6 | Es ................................... | Es la sirvienta Maritones. |
| 7 | Son ............................... | Son la gente que mantea a Sancho. |
| 8 | Son dos ejércitos. | Son ....................................... |
| 9 | Es ................................... | Es el balido de ovejas y Carneros. |
| 10 | Es el yelmo de Mambrino. | Es ....................................... |

### Léxico

**3** Sustituye la palabra en negrita por el sinónimo correspondiente.

**a** los favores      **e** pararon

**b** nunca      **f** empezaron

**c** continuaron      **g** coraje

**d** fortuna

1 ☐ —La **buena suerte** va siguiendo nuestras cosas.

2 ☐ Las grandes aspas **comenzaron** a moverse.

3 ☐ Sancho le ayudó a subir sobre Rocinante y **siguieron** su camino.

4 ☐ Los frailes se **detuvieron**.

5 ☐ —¿Conoces a otro que tenga más **valor** que yo?

6 ☐ —Muchas gracias por **las mercedes** que he recibido.

7 ☐ —**Jamás** hemos vencido batalla alguna.

**4** Usted va a leer diez refranes, (cuatro de los cuales salen en el capítulo). Tiene que seleccionar 6 y asociarlos con el enunciado (a-f) que explica el significado de cada uno de ellos.

1 Quien canta sus males espanta.

2 Hacer bien a villanos es echar agua en el mar.

3 Andar de la Ceca a la Meca.

4 La codicia rompe el saco.

5 Donde una puerta se cierra, otra se abre.

6 No es la miel para la boca del asno.

7 Pedirle peras al olmo.

8 Dime con quién andas y te diré quién eres.

9 Quien bien te quiere te hará llorar.

10 No es oro todo lo que brilla.

a ☐ Es un dicho español cuyo significado hace referencia a andar siempre de un sitio a otro, de aquí para allá, sin una meta determinada, muchas veces con ansiedad.

b ☐ Significa que aunque algunas cosas nos vayan mal y creamos que no hay solución por más que la busquemos, siempre podemos encontrar una salida. Nunca hay que perder la esperanza. Hoy te dicen "no", mañana te dirán "sí".

c ☐ Quiere decir que no puedes pedirle algo a una persona que es incapaz de dártelo, o porque no lo tiene o porque no puede. Es lo mismo que pedir lo imposible. Es más o menos como pedirle a un ladrón que vigile tu casa mientras estás ausente.

d ☐ El significado de este refrán da a entender que las gentes malas y de bajos sentimientos no se muestran agradecidas generalmente a los beneficios y favores que se les hacen.

e ☐ Podemos conocer los gustos y aficiones de alguien por los amigos y ambientes que frecuenta. Asimismo, señala la gran influencia que ejercen en el comportamiento o en las costumbres de alguien las compañías de los demás, ya sean buenas o malas.

f ☐ Este refrán quiere significar que para aliviar las penas y las desgracias hay que divertirse, pasárselo bien, reír bromear, ver el lado positivo de las cosas y de las circunstancias.

## El acento II

Las palabras **esdrújulas** son las que tienen la sílaba fuerte, o tónica, en la **antepenúltima**.

Todas las esdrújulas llevan tilde (´).

■ □ □          □ ■ □ □          □ ■ □ □ □

**có**mico          po**lí**tico          es**crí**besela

### Gramática

**5** Entre las palabras del cuadro hay cinco esdrújulas que salen en el capítulo. Indica cuáles son y escríbelas correctamente.

> antiguo     linea     caballero     animo     camino
> libertad     colera     castillo     molinos
> callate     rapidamente     harina

### Expresión e interacción orales

**6** A partir de la imagen de la página 31, usted debe imaginar una situación y describirla durante dos minutos con el/la prof, a partir de las preguntas que se le proporcionan.

- ¿En qué lugar se desarrolla la situación?
- ¿Por qué?
- ¿Qué relación cree que hay entre estas tres personas?
- ¿Cómo se imagina que es cada una de estas personas?
- ¿Qué cree que ha pasado?
- ¿Qué están haciendo?
- ¿A qué cree que se dedica el hombre con la bacía en la cabeza?
- ¿Por qué se pone la bacía como sombrero?
- ¿Qué cree que va a ocurrir?
- ¿Cómo cree que va a terminar la situación?

# **Antes** de leer

## Léxico

**1** Asocia cada palabra o expresión (1-11) que vas a encontrar en el capítulo, con su significado (a-k).

a ☐ garrotazo     g ☐ disparate

b ☐ paliza     h ☐ arroyo

c ☐ flaco     i ☐ menesteroso

d ☐ coz     j ☐ en pelota

e ☐ bolsillo     k ☐ abrupto

f ☐ disfraz

1 Río que lleva poca caudal.

2 Delgado y con pocas carnes.

3 Bolsa que tienen los vestidos donde se pone el pañuelo, el dinero u otros objetos.

4 Serie de golpes dados a una persona o a un animal.

5 Golpe dado con un palo grueso y fuerte o con un bastón.

6 Hecho o dicho sin sentido común o contrario a la razón.

7 Carente o necesitado de algo, especialmente de lo necesario para subsistir.

8 Golpe violento dado con las patas por una caballería.

9 Vestido que sirve para ocultar la apariencia física y que generalmente se lleva en una fiesta.

10 Terreno escarpado, de difícil acceso, con una gran pendiente.

11 Persona desnuda.

## De lo que aconteció a don Quijote en Sierra Morena y de la descomunal batalla que tuvo con unos cueros de vino tinto.

P asaron la noche entre peñas y encinas de Sierra Morena. Y fatalmente, Ginés de Pasamonte, uno de los galeotes, se encontraba por allí escondido, por miedo a la Santa Hermandad. *hidden*

Les dejó dormir y como no era ni agradecido ni bien intencionado, le robó el asno a Sancho, dejando Rocinante, por ser prenda mala, y se fue.

Llegó la aurora alegrando la tierra y entristeciendo a Sancho, que empezó a llorar con el más triste y doloroso llanto al verse sin su asno, que para él era como de la familia.

Don Quijote lo consoló y prometió darle tres asnos de los cinco que tenía en su casa.

—Señor, vuestra merced me eche la bendición y me dé permiso para irme a mi casa con mi mujer y mis hijos, porque ir por estas soledades de día y de noche es enterrarme en vida. No puedo seguir en busca de aventuras toda la vida y encontrar solamente coces, manteamientos, pedradas y palizas.

Don Quijote, absorto en sus pensamientos, guardaba silencio. Llegaron al pie de una alta montaña, donde corría un manso arroyuelo rodeado de un verde prado. Había árboles y flores que hacían el lugar apacible. El Caballero de la Triste Figura escogió este sitio para hacer su penitencia.

—Este es el lugar, ¡oh cielos!, donde llorar la desventura en la que me habéis puesto. ¡Oh Dulcinea del Toboso, día de mi noche, gloria de mi pena, norte de mis caminos, estrella de mi ventura, mira en qué lugar y en qué estado me ha conducido tu ausencia! ¡Oh tú, escudero mío, agradable compañero en mis prósperos y adversos sucesos: acuérdate de lo que aquí me verás hacer para que puedas contarlo!

Y diciendo esto, se apeó de Rocinante y dándole una palmada le dijo:

—Libertad te da el que sin ella queda, ¡oh caballo tan extremado por tus obras cuan desdichado por tu suerte!

—Será bien ensillar a Rocinante para suplir la falta de mi asno, porque ahorraré tiempo a mi ida y vuelta, ya que soy mal caminante.

—Digo Sancho que sea como tú quieres. De aquí a tres días partirás, porque quiero que en este tiempo veas lo que hago y digo por mi Dulcinea.

—Pues ¿qué más tengo que ver que lo que he visto? Le ruego que dé por pasados los tres días que me ha dado de término para ver las locuras que hace, que ya las doy por vistas, y diré maravillas

a su señora. Escriba la carta, sin olvidar los tres asnos que me prometió y me voy, porque tengo gran deseo de sacar a vuestra merced de este purgatorio donde le dejo. Yo le contaré a la señora Dulcinea todas las locuras que ha hecho por ella y volveré con su dulce respuesta.

Sacó el libro de memoria don Quijote, y con tranquilidad comenzó a escribir la carta. Cuando la terminó, llamó a Sancho, porque se la quería leer y hacérsela aprender de memoria, por si acaso la perdía por el camino, porque de su desdicha, todo se podía temer.

—Escríbala vuestra merced, porque pensar que yo la he de aprender de memoria es disparate, pues la tengo tan mala que muchas veces se me olvida cómo me llamo.

Le dio la carta para Dulcinea y otra para su sobrina en la que le rogaba dar tres asnos a Sancho.

Con muchas lágrimas se despidieron, y subiendo Sancho sobre Rocinante, se fue, esparciendo de trecho en trecho ramos de retama, como su amo le aconsejó, para encontrar el camino a su regreso.

Al día siguiente llegó a la venta donde le había sucedido la desgracia de la manta, de manera que no quería entrar, pero el hambre que traía le obligó a hacerlo. Estaban allí el cura y el barbero que, conociéndole, deseosos de saber de don Quijote le preguntaron:

—Amigo Sancho Panza, ¿adónde queda vuestro amo?

Sancho contestó que estaba en cierto sitio y ocupado en ciertas cosas que no podía ni debía decir.

—Si no nos dices dónde está, pensaremos que lo has matado y robado, ya que vienes encima de su caballo.

—Yo no soy hombre que robo ni mato a nadie. Mi amo se ha quedado haciendo penitencia en mitad de esas montañas.

Luego, les contó de qué manera había quedado, las aventuras que le sucedieron. Dijo también que llevaba una carta para la señora Dulcinea del Toboso, de quien estaba locamente enamorado.

Quedaron admirados los dos de lo que Sancho les contaba. Le pidieron ver la carta que llevaba. Dijo que iba escrita en un libro de memoria y que era orden de su señor copiarla en un papel.

Metió la mano en el bolsillo pero no lo encontró porque don Quijote no se acordó de dárselo ni él de pedírselo.

—¡He perdido el libro de memoria donde venía la carta para Dulcinea, y otra para su sobrina en la que le mandaba darme tres asnos!

El cura lo consoló y le dijo que haría revalidar la orden. Después se pusieron en camino y, al día siguiente, llegaron al lugar donde Sancho había dejado a su amo. Sancho dejó al cura y al barbero junto a un arroyo, a la sombra de unos árboles, mientras él iba en busca de don Quijote.

Junto al arroyo se encontraba una doncella lavando sus bellos pies. Cuando alzó el rostro vieron que era de incomparable belleza.

En esto, oyeron voces de Sancho, que dijo haber hallado a su señor en camisa, flaco, amarillo y muerto de hambre, suspirando por su señora Dulcinea.

Empezaron a pensar en la solución para sacarlo de allí y llevarle a su casa. Convencieron a la joven para presentarse ante él como doncella menesterosa que necesitaba su ayuda para salir de aquel lugar. Sin duda don Quijote, como buen caballero, la sacaría de allí, y con este artificio le conducirían a su casa.

—Pues no es menester más —dijo el cura— sino que nos

pongamos manos a la obra, la buena suerte se muestra a favor nuestro.

Dorotea, que así se llamaba la joven, se disfrazó de doncella afligida, se puso sobre la mula del cura, y todos se dirigieron a donde estaba don Quijote.

Al verle, con gran desenvoltura, la joven se puso de rodillas ante las de don Quijote diciendo:

—¡Oh valeroso y esforzado caballero, quiero pediros un favor y no me levantaré si primero, por vuestra cortesía, no me es otorgado el don que pido.

—Levantaos hermosa señora, que yo os otorgaré lo que me queráis pedir.

Dorotea, que se había puesto de acuerdo con el cura y el barbero sobre lo que tenía que decir, respondió:

—Yo soy la princesa Micomicona, legítima heredera del reino Micomicón, y el don que le pido es que vuestra magnánima persona se venga conmigo y me dé venganza de un traidor que me tiene usurpado mi reino.

—Vamos de aquí, en el nombre de Dios, a favorecer a esta gran señora —dijo don Quijote.

El cura y el barbero, también disfrazados, tenían gran cuidado en disimular la risa. Sancho, en cambio, ya se imaginaba que su señor se iba a casar con la princesa y lo iba a nombrar gobernador de algún reino. Y estando en esto, vio venir por el camino a un hombre sobre un jumento. Cuando estuvo cerca, Sancho reconoció a Ginés de Pasamonte montado sobre su asno que le había robado, y a grandes voces dijo:

—Ah, ladrón de Ginesillo, deja mi prenda, suelta mi vida, huye y dame lo que no es tuyo.

Pasamonte se alejó a toda prisa y Sancho llegó a su asno y abrazándolo le dijo:

—¿Cómo has estado bien mío, rucio de mis ojos, compañero mío?

Y con esto le besaba y acariciaba como si fuera una persona. Y todos se alegraron con él.

Por el camino, don Quijote iba preguntando a Sancho nuevas de su señora Dulcinea.

—¿Qué hizo cuando leyó la carta?

Sancho, que no había visto a Dulcinea ni le había entregado la carta le respondió:

—La carta no la leyó porque dijo que no sabía leer ni escribir, pero la hizo en menudas piezas diciendo que no quería dar a conocer sus secretos y que le bastaba lo que yo le decía acerca de vuestro amor y de la penitencia que por su causa estaba usted haciendo.

Mientras hablaban, llegaron a la venta que tanto miedo procuraba a Sancho, y todos salieron a recibirlos con mucha alegría. Don Quijote se acostó enseguida porque venía muy quebrantado y falto de juicio. Los demás fueron a cenar.

Sería medianoche cuando Sancho Panza salió de la habitación de don Quijote todo excitado, diciendo a grandes voces:

—Acudid, señores, presto, y socorred a mi señor, que anda envuelto en la más violenta batalla que mis ojos han visto.

Entretanto, don Quijote decía a voces:

—Detente, ladrón, malandrín, que aquí te tengo y no ha de valer tu cimitarra.

Y Sancho dijo:

—He visto correr la sangre por el suelo y la cabeza del gigante cortada y caída a un lado.

Cuando entraron, vieron que don Quijote había dado tantas cuchilladas en unos cueros de vino, creyendo que las daba en el gigante, que todo el aposento estaba lleno de vino, que a don Quijote le parecía sangre.

El ventero se enfadó tanto que arremetió contra don Quijote a puñetazos.

El cura y el barbero intentaron calmarlo y le prometieron pagarle todos lo daños causados por don Quijote. Y así, todos se quedaron tranquilos.

Don Quijote se ofreció esa noche para hacer la guarda fuera del «castillo», armado y a caballo.

Después de dos días en la venta, pasó por allí un carretero con un carro de bueyes. El cura y el barbero se pusieron de acuerdo con él, para llevar a don Quijote en una jaula.

Mientras dormía, le ataron muy bien las manos y los pies, de modo que cuando despertó no podía moverse, y creía que todas las figuras que le rodeaban eran fantasmas de aquel encantado castillo, sin darse cuenta que se habían disfrazado para engañarle.

Metieron a don Quijote en la jaula, la pusieron en el carro de bueyes y partieron.

Al cabo de un buen rato, Sancho pidió permiso al cura para soltar a don Quijote, ya que si no lo dejaban salir, aquella prisión no iría tan limpia como ordenaba la decencia de un caballero como su amo.

Se alegró mucho al verse fuera de la jaula, y lo primero que hizo fue apartarse en remota parte de donde vino más aliviado.

En esto, por una ladera de la colina aparecieron muchos hombres vestidos de blanco, a modo de penitentes. Era una procesión para pedir la lluvia.

Don Quijote al verlos pensó que una nueva aventura se

presentaba ante él, y más, viendo una imagen que traían cubierta de negro que, según su imaginación, era alguna principal señora que llevaban por fuerza aquellos bellacos. Subió sobre Rocinante, cogió su lanza y se dispuso a acometer.

Sancho le daba voces diciendo:

—¿A dónde va señor don Quijote? ¡Advierta que aquella señora que llevan es la imagen bendita de la Virgen!

Pero don Quijote no le hizo caso, y dirigiéndose a uno de los clérigos que cantaba las letanías le dijo:

—¡Dejad libre a esta hermosa señora, cuyas lágrimas y triste semblante dan claras muestras de que la lleváis contra su voluntad!

Todos empezaron a reírse, lo que puso en cólera a don Quijote que, sin decir palabra arremetió contra ellos. Uno de estos, levantando un bastón con el que sostenía la imagen, dio tal golpe a don Quijote en un hombro, que el pobre cayó al suelo mal parado y creyendo que lo había matado.

Entonces, el cura, les explicó a los que iban en procesión quién era don Quijote y cuál era su locura. Todos se calmaron. Sancho Panza, creyendo que su amo estaba muerto, con lágrimas en los ojos, decía:

—¡Oh flor de la caballería, que con solo un garrotazo acabaste la carrera de tus tan bien gastados años! ¡Oh honra de tu linaje, honor y gloria de toda la Mancha, y aun de todo el mundo, el cual, faltando tú en él, quedará lleno de malhechores sin temor de ser castigados de sus malas fechorías! ¡Oh liberal de todos los Alejandros, pues por solos ocho meses de servicio me tenías dada la mejor ínsula que el mar rodea! ¡Oh humilde con los soberbios y arrogante con los humildes, acometedor de peligros, sufridor de afrentas, enamorado sin causa, imitador de los buenos, azote de

los malos, enemigo de los ruines, en fin, caballero andante, que es todo lo que decirse puede!

Con las voces y gemidos de Sancho revivió don Quijote y lo primero que dijo fue:

—¡El que de vos vive ausente, dulcísima Dulcinea, a mayores miserias que esta está sujeto! ¡Ayúdame amigo Sancho a ponerme sobre el carro encantado que ya no estoy para montar a Rocinante, porque tengo el hombro hecho pedazos.

—Lo haré de muy buena gana señor mío, y volvamos a mi aldea en compañía de estos señores que su bien desean, y allí daremos orden de hacer otra salida de más provecho y fama.

Pusieron a don Quijote en el carro y al cabo de seis días llegaron al pueblo, adonde entraron un domingo en mitad del día.

Todos los que estaban en la plaza, al reconocerlo, quedaron maravillados. Un muchacho fue corriendo a dar las nuevas a su ama y a su sobrina de que su tío y su señor había vuelto.

El cura y el barbero estuvieron un mes sin ver a don Quijote, por no traerle a la memoria las cosas pasadas, pero no dejaron de visitar a su sobrina y a su ama preguntando si mejoraba.

Acordaron no tocar en ningún momento el tema de la caballería andante, para no descoser la herida que tan tierna estaba.

—¡Ay! —decía la sobrina—. Que me maten si no quiere mi señor volver a ser caballero andante.

—¡Caballero andante he de morir! —respondió don Quijote.

Por todo esto y otras muchas señales, la sobrina y el ama dedujeron que su tío y señor quería escaparse por tercera vez. Procuraban apartarle de tan mal pensamiento, pero todo era predicar en el desierto.

# Después de leer

## Comprensión lectora

DELE ❶ Después de leer el capítulo, conteste a las preguntas (1-7) y seleccione la respuesta correcta (a, b, c).

1 Después de haberle robado el asno, Sancho...

   a ☐ quiere seguir siendo el escudero de su amo.

   b ☐ quiere volver donde su familia.

   c ☐ no quiere volver a casa.

2 Sancho tiene tan mala memoria que...

   a ☐ no aprende a leer.

   b ☐ hasta se olvida de su nombre.

   c ☐ no se acuerda de su asno.

3 Sancho se va sobre Rocinante...

   a ☐ porque le gusta ahorrar.

   b ☐ porque no tiene el asno.

   c ☐ porque es más veloz que su asno.

4 Sancho no quiere entrar en la venta...

   a ☐ porque no tenía hambre.

   b ☐ porque tenía miedo que lo mantearan de nuevo.

   c ☐ porque no quería ver al cura y al barbero.

5 Según el capítulo, Dorotea...

   a ☐ es una princesa.

   b ☐ es una joven guapísima.

   c ☐ es una amiga del cura y del barbero.

6 Todos se quedaron en la venta...

   a ☐ una semana.

   b ☐ un par de días.

   c ☐ un fin de semana.

7 Don Quijote se encuentra en un estado de depresión...

   a ☐ a causa de la deslealtad de Sancho.

   b ☐ por la ausencia de Dulcinea.

   c ☐ porque Sancho no sabe leer.

## Gramática

**DELE ❷** Lea el texto que le proponemos y rellene los huecos (1-15) con la opción correcta (a, b, c).

Aquel día al amanecer, Sancho (1) .......... que le habían robado el asno. Don Quijote (2) .......... consoló prometiéndole que le (3) .......... asnos de los cinco que tenía en (4) .......... casa. Al pie de una montaña había un riachuelo rodeado (5) .......... un verde prado.

Don Quijote empezó a escribir una carta con tranquilidad y le dijo a Sancho que (6) .......... a ver a Dulcinea (7) .......... llevársela. Le aconsejó (8) .......... ramos de trecho en trecho para encontrar el camino de regreso. Cuando (9) .......... a la venta, donde le había sucedido la desgracia de la manta, Sancho no quería entrar, pero como (10) .......... mucha hambre entró.

Cuando llegaron al sitio donde estaba don Quijote, Sancho dejó al barbero y al cura (11) .......... un arroyo. Estos, empezaron a pensar (12) .......... cómo llevarlo a casa. (13) .......... en la venta, don Quijote se fue a dormir y (14) .......... fueron a cenar. A medianoche, don Quijote empezó a dar cuchilladas contra los cueros, creyendo que las daba en el gigante, (15) .......... la habitación estuviera llena de vino.

| 1 | a | conoció | b | supe | c | se dio cuenta de |
|---|---|---|---|---|---|---|
| 2 | a | los | b | les | c | lo |
| 3 | a | daba | b | había dado | c | daría |
| 4 | a | la su | b | su | c | suya |
| 5 | a | de | b | con | c | a |
| 6 | a | iría | b | fuera | c | fue |
| 7 | a | por | b | en | c | para |
| 8 | a | esparcir | b | que esparciera | c | esparciendo |
| 9 | a | llegué | b | llegó | c | llegue |
| 10 | a | había | b | tuvo | c | tenía |
| 11 | a | junto | b | al lado de | c | cerca |
| 12 | a | a | b | para | c | en |
| 13 | a | Alguna vez | b | Una vez | c | Tal vez |
| 14 | a | ninguno | b | los demás | c | además |
| 15 | a por eso | b | en consecuencia | c | de ahí que |

**DELE ❸** Lea el texto y rellene los huecos (1-11) con la opción correcta (a, b, c).

## Una chica muy valiente

Don Quijote siempre está luchando contra la injusticia. Hoy en día, **(1)** .......... miles de Quijotes por el mundo **(2)** .......... siguen su ejemplo. Este es uno de ellos.

Malala: «Quiero ser útil para que cada chica, cada niño, **(3)** .......... educado.»

Una adolescente de un país oriental fue tiroteada por defender el derecho a la educación. La joven ha superado con éxito **(4)** .......... operación en el Reino Unido.

Es la primera vez que la menor, de 15 años, habla públicamente tras el ataque que **(5)** .......... el pasado 9 de octubre en su país, cuando recibió dos disparos, uno en la cabeza y otro en el cuello, **(6)** .......... que se recupera en un hospital de Birmingham (centro de Inglaterra).

La adolescente volvió **(7)** .......... fin de semana al hospital para que los médicos **(8)** .......... instalen una pieza de titanio hecha a medida de su cráneo, además de un implante con el que recuperará la audición del oído izquierdo. Los doctores confían en que ésta **(9)** .......... la última cirugía para Malala, que deberá enfrentar ahora un periodo de recuperación de entre 15 y 18 meses. La joven activista manifestó que desde su posición ayudará a otras niñas que **(10)** .......... se sientan atacadas por querer ir a la escuela.

«Esta es una segunda vida. Y quiero ser útil para la gente. Quiero que cada chica, cada niño, **(11)** .......... la posibilidad de ir a la escuela.»

| | a | b | c |
|---|---|---|---|
| 1 | están | sois | hay |
| 2 | los que | que | cuales |
| 3 | será | estará | esté |
| 4 | otra | un otra | una otra |
| 5 | ha sufrido | sufrió | sufría |
| 6 | de cuales | de cuyos | de los |
| 7 | esto | esta | este |
| 8 | le | la | lo |
| 9 | sería | sea | es |
| 10 | tampoco | también | aunque |
| 11 | haya | tenga | habrá |

## Comprensión auditiva

DELE **4** Va a escuchar seis conversaciones breves. Después debe contestar a las preguntas (1-6). Seleccione la opción correcta (a, b, c).

1 Sancho le dice a don Quijote que...

   a ☐ no le gustan las estrellas.

   b ☐ no le gusta dormir a la intemperie.

   c ☐ no quiere vivir más aventuras.

2 El cura y Sancho se encuentran...

   a ☐ en el bosque.

   b ☐ por la tarde.

   c ☐ por la mañana.

3 El barbero le dice al ventero que...

   a ☐ don Quijote está loco.

   b ☐ los gastos los van a pagar el cura y él.

   c ☐ el cura está muy enfadado.

4 Don Quijote le dice a Dorotea que...

   a ☐ puede preguntarle lo que quiera.

   b ☐ él solo le dará venganza del usurpador de su reino.

   c ☐ Sancho y él le harán el favor que les pide.

5 Don Quijote le dice a Sancho que...

   a ☐ es un cobarde.

   b ☐ dentro de poco va a llover.

   c ☐ quiere dar una lección a aquellos hombres.

6 Sancho le dice a don Quijote que...

   a ☐ hay un hombre lesionado.

   b ☐ tardarán un poco más en llegar al pueblo.

   c ☐ el caballo está muy mal.

### Expresión e interacción orales

DELE **5** Le proponemos un tema con algunas indicaciones para preparar una exposición oral. Tendrá que hablar durante dos o tres minutos sobre las ventajas e inconvenientes de una serie de soluciones propuestas para una situación determinada.

**TEMA: Las mascotas en casa**

Alguien piensa que tener un animal en casa no es compatible con la limpieza y el orden. Ver crecer, jugar y cuidar algún animal es algo estupendo, pero es necesario tener mucha responsabilidad y un cuidado especial. En el momento en el que decidimos tener una mascota en nuestra casa debemos tener en cuenta que tomamos un compromiso muy importante aceptando los pros y los contras. A todos nos gustan los cachorros, pero debemos pensar que los vamos a tener para toda la vida y que luego va a crecer, y ya viejos nos pedirán más atenciones y cuidados. Ellos nos darán afecto y lealtad y nosotros tenemos que corresponderles dándoles cuidados, atención, respeto y mucho cariño.

Yo creo que hay que educar a las mascotas cuando son pequeñas para luego no tener problemas.

Yo obligaría a los que van a tener una mascota, a hacer un curso de acreditación.

Se debería multar a los propietarios cuyas mascotas ensucian en lugares públicos.

Habría que prohibir tener animales grandes, sobre todo perros en espacios pequeños.

Yo haría una ley para meter en la cárcel a los que abandonan los animales en las carreteras.

### CONVERSACIÓN

Una vez haya hablado de las propuestas durante dos minutos, responderá a algunas preguntas sobre el tema.

### PREGUNTAS

1 De las propuestas dadas, ¿cuál le parece la mejor?
2 Entre sus amigos y compañeros de clase, ¿cuántos tienen una mascota en su casa? ¿Han tenido algún tipo de problema?
3 ¿Cree que tener una mascota puede contribuir a una mayor responsabilidad, autoestima y socialización?

Honeré Daumier, *Don Quijote y Sancho Panza*, 1866.

# Don Quijote en las artes

*Don Quijote de la Mancha*, la obra más importante de Cervantes, se ha traducido a un gran número de idiomas, y se han editado miles de ediciones diferentes.

Pero, aparte de los libros, artistas de todas las épocas, dibujantes, pintores, escultores, músicos, directores de cine y de teatro, han elegido al Caballero de la Triste Figura como fuente de inspiración.

Entre las imágenes que ilustran la narración de la famosa novela hay que citar el **tebeo**, la **historieta**, el **cómic**.

El tebeo es una revista infantil de historietas cuyo asunto se desarrolla en series de dibujos. En algunos periódicos se publican historietas gráficas de esta clase. La literatura y el tebeo se dan la mano y el resultado es una nueva obra de arte que hay que contemplar y leer a la vez. Francisco Ibáñez, el genial autor español de cómic, o tebeo, publicó en 2005 *Mortadelo de la Mancha*. En esta obra, el agente secreto Mortadelo se mete en la piel de don Quijote, luchando como él, pero en una España más moderna. En este cómic salen varios políticos famosos españoles. Fue un éxito y ha llegado a vender más de 100.000 ejemplares.

Para hacer llegar de forma más clara y sencilla diversos aspectos culturales, como una novela de la literatura española, a los más jóvenes, a principios del siglo pasado, surgieron los **cromos**. Los chicos los coleccionaban y los pegaban en el álbum hasta que lo completaban. También la filatelia española ha querido inmortalar la obra de don Quijote emitiendo 24 **sellos**. El famoso dibujante Antonio Mingote ha sido el autor de los diseños. Los originales han sido realizados en acuarela.

Pero el más famoso de los dibujantes ha sido **Gustave Doré** (1833-1888). La edición francesa del *Quijote*, de 1863, contiene 370 **grabados** de gran belleza. Doré hizo un viaje por España para inspirarse en los lugares de Cervantes. Podemos admirar el realismo y la belleza de sus paisajes, sus mágicos cielos, y también el rostro

Gustave Doré, *Don Quijote y Sancho Panza volando sobre Clavileño*, 1863.

Pablo Ruiz Picasso, *Don Quijote y Sancho Panza*, croquis, 1955.

tragicómico del gran idealista de la Mancha. Seguramente, Doré es el que mejor supo interpretar a Cervantes.

Se dice que el artista más influyente del siglo XX, **Pablo Picasso**, haya hecho una de las más famosas y reconocidas ilustraciones del *Quijote*. Aun siendo de una gran sencillez, todo el mundo la conoce.

En agosto de 1935, para celebrar el aniversario de los 350 años de la publicación de la obra de Cervantes, un amigo de Picasso le pidió un dibujo de don Quijote para una revista. Se cuenta que el dibujo lo hizo en pocos minutos, con trazo simple, lo cual dice mucho de la maestría del pintor.

También **Salvador Dalí** ha ilustrado la novela con sus famosos cuadros surrealistas.

En todo el mundo, y especialmente en España, se encuentran las **esculturas**, no solo de don Quijote y Sancho, a veces juntos, a veces separados, sino también de algún otro personaje de la novela, como Dulcinea del Toboso.

En muchas tiendas y mercados españoles se venden infinidad de estatuas de madera, hierro, cerámica, del famoso caballero y de su escudero.

Salvador Dalí muestra una de sus ilustraciones para *El Quijote*, 1957.

DELE ❶ Después de leer el dossier, debe contestar a las preguntas (1-5). Seleccione la respuesta correcta (a, b, c).

1 Según el texto...

a ☐ se han editado mil ediciones de *El Quijote*.

b ☐ casi todo el mundo puede leer *El Quijote* en su propia lengua.

c ☐ Cervantes dibujaba y pintaba muy bien.

2 En el texto se afirma que...

a ☐ los cromos son una especie de revista infantil.

b ☐ en un tebeo se pueden ver las figuras y al mismo tiempo leer.

c ☐ Mortadelo de la Mancha es un famoso autor de tebeos.

3 El texto nos informa de que...

a ☐ Correos emitió una serie de sellos sobre Cervantes.

b ☐ eran sellos pintados al óleo.

c ☐ el cómic de Francisco Ibáñez fue un éxito en ventas.

4 Según el texto...

a ☐ Gustavo Doré fue a España para hablar con Cervantes.

b ☐ le hizo un retrato a colores.

c ☐ los grabados de Doré son en blanco y negro.

5 El dossier dice que...

a ☐ Picasso pintó a don Quijote en el verano de 1935.

b ☐ el dibujo se publicó en un periódico.

c ☐ lo dibujó para celebrar el cumpleaños de un amigo suyo.

DELE ❷ A partir de las fotos que le proponemos en el dossier, usted debe imaginar una situación, describirla y hablar de ella durante unos dos minutos. Aquí tiene algunos aspectos que puede comentar:

- ¿Quiénes son esos personajes?
- ¿Dónde están? Describa el paisaje.
- ¿Cómo son esas personas? ¿De qué cree que están hablando?

# Antes de leer

## Léxico

**1** En el capítulo siguiente salen estas palabras y expresiones. Asocia cada una de ellas (a-f) con el significado correspondiente (1-6).

a ☐ socarrón

b ☐ sosegado

c ☐ ascuas

d ☐ enternecer

e ☐ brocado

f ☐ sandeces

1 Apacible, quieto, tranquilo.
—Finalmente el mar se ha ............................ después de la tormenta.

2 Tela de seda con dibujos de hilos de oro y plata.
—En la iglesia hay un ............................ con la imagen del santo patrón.

3 Trozo de carbón de madera ardiente, brasa.
—Para asar carne en el fuego tiene que haber unas buenas ............................ .

4 Sentir cariño, amor o afecto por alguien.
—Me hace ............................ la sonrisa de un niño.

5 Hecho o dicho ignorante, inconveniente, carente de sentido.
—Si hablas de un tema que no conoces, es probable que digas solo ............................ .

6 Persona que se burla de otros disimuladamente.
—Sebastián es un chico bastante ............................ siempre se burla de sus compañeros.

## Donde se cuenta lo que le sucedió a don Quijote yendo a ver a su señora Dulcinea del Toboso.

Durante tres días, don Quijote y Sancho prepararon su salida y se pusieron de acuerdo en lo que les pareció convenirles.

Habiendo aplacado Sancho a su mujer y don Quijote a su sobrina y a su ama, un día, al anochecer, se pusieron en camino del Toboso porque don Quijote quería visitar a su señora Dulcinea.

Al día siguiente, al atardecer, descubrieron la ciudad del Toboso, con cuya vista se excitaron los dos, el uno por ver a su señora, y el otro por no haberla visto nunca.

Era medianoche cuando entraron, y el pueblo estaba en un sosegado silencio, ya que todos dormían. No se oía en todo el lugar sino ladridos de perros, que atronaban los oídos de don Quijote y

turbaban el corazón de Sancho. De cuando en cuando rebuznaba un jumento, gruñían puercos, maullaban gatos, cuyas voces de diferentes sonidos aumentaban con el silencio de la noche, todo lo cual consideró el enamorado caballero de mal agüero; pero a pesar de todo esto dijo a Sancho:

—Sancho, hijo, guíame al palacio de Dulcinea que quizá la encontremos despierta.

Caminaron un rato y vieron una gran mole en las sombras.

—Con la iglesia hemos topado, Sancho —dijo don Quijote.

Vieron que pasaba uno con dos mulas; debía de ser un labrador que iba a su labranza antes del amanecer, y don Quijote le preguntó:

—¿Me sabéis decir, buen amigo, dónde está el palacio de la sin par princesa doña Dulcinea del Toboso?

—Señor —respondió el hombre—, soy un forastero y hace pocos días que estoy en este pueblo sirviendo a un labrador rico. En esa casa de enfrente viven el cura y el sacristán. Ambos o cualquiera de ellos sabrá dar a vuestra merced razón de esa señora princesa, porque tienen la lista de todos los vecinos del Toboso, aunque para mí, en todo el Toboso no vive ninguna princesa. Muchas señoras principales sí, que cada una en su casa puede ser princesa.

—Pues una de esas debe de ser Dulcinea, amigo —dijo don Quijote.

—Podría ser —respondió el labrador— y adiós que ya viene el alba.

Y dando a sus mulas no atendió a más preguntas.

Sancho, viendo a su amo desconsolado, le dijo:

—Es mejor que vuestra merced se esconda en un bosque, fuera de la ciudad. Yo iré a buscar el castillo o el palacio que sea, y le diré a su señora que está esperando el permiso para verla.

—Ve, hijo —respondió don Quijote—, y no te turbes cuando veas ante ti la luz de aquel sol de belleza que vas a buscar.

Sancho se alejó en su asno, y apenas salió del bosque, se sentó al pie de un árbol y empezó a hablar consigo mismo:

—Voy a buscar nada menos que a una princesa que ni mi amo ni yo hemos visto jamás. Si los del Toboso averiguan que vamos a molestar a sus damas, vendrán y nos molerán las costillas a palos. Pero todas las cosas tienen remedio, menos la muerte. Mi amo es un loco de atar, juzga lo blanco por negro y lo negro por blanco, así que no será difícil hacerle creer que una labradora cualquiera, la primera que encuentre por aquí, es su señora Dulcinea.

Después, Sancho se quedó allí hasta la tarde, para hacerle creer a don Quijote que había ido y vuelto del Toboso.

Cuando se levantó para subir en su asno, vio que venían tres labradoras sobre tres pollinos. A toda prisa volvió en busca de su señor, al que encontró suspirando en mil amorosas lamentaciones.

Al verlo exclamó:

—¿Qué pasa, amigo Sancho, traes buenas noticias o malas?

—Traigo tan buenas noticias —replicó Sancho— que no tiene más que picar a Rocinante y salir a ver a su señora Dulcinea del Toboso, que con otras dos doncellas suyas viene a ver a vuestra merced.

—¡Santo Dios! ¿Qué es lo que dices, Sancho amigo? No me engañes, ni intentes alegrar mi tristeza con falsas alegrías.

—¿Qué saco yo engañando a vuestra merced? —respondió Sancho—. Venga a ver a la princesa, nuestra ama, vestida y adornada. Sus doncellas y ella son un ascua de oro, todas espigas de perlas, todas son diamantes, rubíes, telas de brocado, los cabellos sueltos por las espaldas son rayos de sol que andan jugando con el

viento, y sobre todo, vienen sobre tres bellísimos caballos, que no hay más que ver.

Salieron del bosque y encontraron a las tres aldeanas [1]. Como don Quijote no vio sino a las tres campesinas, preguntó a Sancho si las había dejado fuera de la ciudad.

—¿Cómo fuera de la ciudad? —respondió—. ¿No ve que son estas que vienen resplandecientes como el mismo sol a mediodía?

—Yo no veo sino a tres labradoras sobre tres borricos [2].

—¡Calle señor! Abra los ojos y venga a hacer reverencia a la señora de sus pensamientos que ahí llega.

Y bajando del asno, se adelantó a recibir a las tres aldeanas y arrodillándose dijo:

—¡Reina y princesa de la hermosura, reciba en su gracia al cautivo [3] caballero vuestro que allí está hecho piedra mármol, y sin valor de verse ante vuestra magnífica presencia! Yo soy Sancho Panza, su escudero, y él es don Quijote de la Mancha, llamado por otro nombre el Caballero de la Triste Figura.

Don Quijote se puso de rodillas muy sorprendido, y como no veía a la que Sancho llamaba reina y señora, no osaba proferir palabra.

También las campesinas estaban atónitas viendo a aquellos dos hombres que no dejaban pasar a su compañera. Esta, dijo muy enfadada:

—Quítense del medio y déjennos pasar, que tenemos prisa.

A lo que Sancho respondió:

—¡Oh princesa y señora del Toboso! ¿Cómo no se enternece

---

1. **aldeano** : natural de una aldea.
2. **borrico** : asno.
3. **cautivo** : aprisionado (en la guerra).

vuestro corazón viendo arrodillado a la columna y sustento de la andante caballería?

Oyendo esto, una de las dos campesinas dijo:

—Mirad con qué se vienen los señoritos ahora a tomarnos el pelo a las aldeanas, como si aquí no supiéramos hacer burlas como ellos; lo mejor que podéis hacer es seguir por vuestro camino y dejarnos hacer el nuestro.

—¡Levántate Sancho! —dijo don Quijote—. Pues veo que el maligno encantador que me persigue, ha puesto nubes en mis ojos, transformando la sin igual belleza y rostro de Dulcinea en el de una campesina pobre. Te ruego que no dejes de mirarme blanda[4] y amorosamente, viendo en esta sumisión y arrodillamiento, la humildad con que mi alma te adora!

—Pero ¿qué está diciendo? —respondió la aldeana—, amiguita soy yo de oír semejantes sandeces. Apartaos y dejadnos ir y os lo agradeceremos.

Apenas Sancho se apartó, y la aldeana se vio libre, picando con fuerza a su borrica, empezó a correr y a dar saltos, de manera que dio con ella en el suelo. Visto lo cual, don Quijote acudió a levantar a su encantada señora en los brazos sobre la borrica, pero la señora, levantándose del suelo le quitó de aquel le quitó de aquel trabajo y, puestas las manos sobre las ancas de la borrica, con un salto, subió a ella como si fuera un hombre. Las otras dos la siguieron sin volver la cabeza.

Cuando desaparecieron de su vista, don Quijote, volviéndose a Sancho, le dijo:

—Mira, amigo Sancho, hasta dónde se extiende la malicia y la ojeriza que me tienen los malignos encantadores. Han querido

4.  **blando** : tierno, suave.

privarme de la alegría de ver a mi señora. Y no contentos con todo esto, han transformado a mi Dulcinea en una figura tan baja y fea como la de aquella aldeana. Además le han quitado lo que es propio de las principales señoras, que es el buen olor, ya que andan siempre entre ámbares [5] y flores. Porque te hago saber, Sancho, que cuando me he acercado a Dulcinea para ayudarla a subir a su caballo (según tú dices, que a mí me pareció borrica), me ha dado un olor de ajos crudos que me ha envenenado [6] el alma.

—¡Oh canalla! —gritó Sancho—, ¡oh encantadores malvados! Mucho sabéis, mucho podéis y mucho más hacéis.

Y mucho tenía que hacer el socarrón de Sancho en disimular la risa, oyendo las sandeces de su amo, tan delicadamente engañado. Finalmente, después de muchas otras razones que entre los dos pasaron, volvieron a subir en sus bestias y siguieron el camino de Zaragoza, adonde pensaban llegar a tiempo para asistir a unas solemnes fiestas que en aquella insigne ciudad cada año suelen hacerse. Pero antes de llegar allá les sucedieron cosas, que por muchas, grandes y nuevas, merecen ser escritas y leídas, como se verá adelante.

5. **ámbar** : resina fósil, de color amarillo.
6. **envenenar** : emponzoñar, inficionar con veneno.

# **Después** de leer

## Comprensión lectora

DELE **1** Después de leer el capítulo conteste a las preguntas (1-6) y seleccione la respuesta correcta (a, b, c).

1 Dice el capítulo que en la tercera salida, Sancho...
   a ☐ suplicó a su mujer.
   b ☐ estuvo tres días fuera de su casa.
   c ☐ le dijo a su mujer que estuviera tranquila.

2 Don Quijote y Sancho vieron la ciudad del Toboso...
   a ☐ al cabo de tres días.
   b ☐ a medianoche.
   c ☐ por la tarde.

3 Don Quijote le dice a Sancho que...
   a ☐ quiere que Dulcinea se despierte.
   b ☐ a lo mejor está despierta.
   c ☐ vaya a despertarla.

4 El campesino le dice a don Quijote que...
   a ☐ el cura y el sacristán pueden sacarlo de dudas.
   b ☐ en su casa hay una princesa.
   c ☐ es del pueblo.

5 Según don Quijote, las princesas...
   a ☐ deben tener el perfume de las flores.
   b ☐ tienen que oler bien.
   c ☐ han de resplandecer como el sol.

6 En este capítulo, Sancho...
   a ☐ presenta Dulcinea a don Quijote.
   b ☐ engaña a su amo.
   c ☐ va al Toboso y vuelve.

## Gramática

DELE **2** Lea el texto y rellene los huecos (1-11) con la opción correcta (a, b, c).

### El Toboso

**(1)** ......... la conquista de Toledo en 1085, Alfonso VI expulsó a los árabes de casi toda la provincia, aunque la tierra manchega siguió **(2)** ......... dominio musulmán durante siglo y medio más, **(3)** ......... la victoria de los reyes cristianos en la batalla de las Navas de Tolosa, en 1212.

La **(4)** ......... importancia de las Órdenes Militares en la guerra contra los reinos árabes, la labor que realizaron en el repoblamiento de estas tierras, avalan la teoría de que el Toboso **(5)** ......... bajo dominio de la Orden de Santiago, **(6)** ......... gran maestre ordenó realizar algunas fortificaciones (hoy desaparecidas).

El Toboso, **(7)** ......... con Miguel Esteban, Pedro Muñoz, Criptana, Guzques (Villamayor de Santiago), Quintanar, La Puebla de don Fadrique, La Puebla de Almoradiel, Mota del Cuervo, Villanueva de Alcardete, y los territorios del Priorato de Uclés hasta Guadiana (Socuéllamos y Tomelloso) formó la **(8)** ......... institución legal **(9)** ......... denominación "El Común de la Mancha" (1353).

Cuando desapareció Pedro Muñoz, en 1410, **(10)** ......... la Peste, los habitantes se apropiaron del archivo municipal y de las campanas de la ermita de San Antonio. En 1531, la emperatriz Isabel concede el privilegio de Villa a **(11)** ......... pueblo, quedando el término del Toboso reducido.

| | a | b | c |
|---|---|---|---|
| 1 | Después | Tras | Luego |
| 2 | debajo | sobre | bajo |
| 3 | desde | cuando | hasta |
| 4 | mejor | grande | gran |
| 5 | ha sido | estuvo | fue |
| 6 | el cual | quien | cuyo |
| 7 | juntos | junto | al lado |
| 8 | primer | primaria | primera |
| 9 | con | de | a |
| 10 | por causa | a causa de | debido |
| 11 | esto | este | alguno |

### Expresión e interacción escritas

DELE ❸ Un amigo suyo le cuenta en una carta el viaje que hizo el año pasado con su novia. Usted debe escribir una critica y mandarla a la revista de viajes "Trotamundos" para la que escribe.

Hola, Fernando:

Como ya te expliqué por teléfono, el verano pasado, mi novia y yo hicimos un viaje a México.

Salimos a finales de julio. Programamos todo con una agencia de viajes de Zaragoza, "La Tranquilidad". Pagamos todo el viaje y ese fue nuestro error.

En Ciudad de México nos quedamos dos días para visitarla, pero el calor era sofocante, había una contaminación que no se podía casi respirar, y el guía que tenía que acompañarnos no se presentó.

De allí nos fuimos tres días a Cancún para bañarnos en el océano y relajarnos. El hotel estaba muy lejos de la playa y teníamos que coger un taxi. Había rascacielos a pocos metros del mar, y la playa estaba llena de turistas.

Finalmente llegamos a la misteriosa Chichén Itzá. El hotel no era de la categoría que nos había dicho nuestra agencia. El guía que tenía que acompañarnos llegó con retraso y en vez de visitarla por la mañana temprano, llegamos a las 10 y ya estaba todo invadido por los autobuses con sus miles de turistas. Te puedes imaginar lo que nos costó subir a la cima de la famosa pirámide.

Ah, no conseguimos hacernos una foto solos en las ruinas Maya, siempre rodeados de gente.

Llamé a la agencia para quejarme pero nos respondieron que no eran responsables y que no nos iban a resarcir. Yo les dije que les denunciaría ante la Organización de Consumidores.

Mi novia se puso muy nerviosa y estuvimos casi todo un día sin hablarnos porque, según ella, la culpa era mía.

Finalmente llegamos a Tulum para respirar, para ver el mar y descansar. Océano de color azul y verde, la arena blanca de Playa del Carmen, libres, sin guías, poca gente. Visitamos algunos mercados de artesanía local. Por la noche salíamos a cenar a locales típicos que nos aconsejaba alguien de allí. Eso sí, nunca más programaremos el viaje con una agencia. Ah, se me olvidaba, mi novia y yo nos hemos dejado.
Hasta luego
Miguel

**Redacte un texto en el que deberá:**

- Hablar de la importancia de un viaje y de su organización y programación.
- Valorar el comportamiento de la agencia de viajes.
- Valorar la actitud de sus amigos.
- Elaborar una opinión personal sobre el viaje de sus amigos.

**Número de palabras: entre 150 y 180.**

## Expresión e interacción orales

**DELE ④ En esta foto hay algunas personas en una cierta situación. Hable de ellas durante dos minutos aproximadamente. Le proponemos algunos de los aspectos que puede comentar:**

- ¿En qué lugar cree que están? ¿Por qué?
- ¿Qué relación hay entre esas personas?
- ¿Qué cree que ha pasado? ¿Por qué?
- ¿Qué están haciendo? ¿Por qué?
- ¿Cómo cree que va a terminar la situación?

Donde se declara el inaudito ánimo de don Quijote con la felizmente acabada aventura de los leones y de la barca encantada.

Iba don Quijote pensativo viajando con su escudero cuando,  levantando la vista, vio un carro con banderas, en el que venía el carretero y un hombre sentado delante. Don Quijote les dijo:

—¿A dónde vais, hermanos? ¿Qué carro es este y qué banderas son estas?

El carretero respondió:

—El carro es mío; lo que va en él son dos bravos leones enjaulados, que el general de Orán envía a la corte para su Majestad; las banderas son del rey, en señal de que aquí va cosa suya.

—Y ¿son grandes los leones? —preguntó don Quijote.

—Tan grandes que no han pasado mayores de África a España jamás. Van hambrientos porque hoy todavía no han comido.

A lo que dijo don Quijote:

—¿Leoncitos a mí? Bajad, buen hombre, abrid esas jaulas y echadme esas bestias fuera, que le haré conocer quién es *don Quijote de la Mancha*.

Llegó Sancho y le dijo:

—Señor, deje en paz a estos leones porque si no nos van a hacer pedazos.

Como el leonero se resistía, don Quijote prosiguió:

—¡Si no abrís las jaulas, con esta lanza os he de coser con el carro!

Sancho empezaba a llorar la muerte de su señor, que aquella vez sin duda creía que le llegaba de las garras de los leones.

Como temía que Rocinante tendría miedo de los leones, don Quijote saltó del caballo, desenvainó la espada y se puso delante del carro, encomendándose a Dios y a su señora Dulcinea.

Cuando vio que todos se habían alejado, el guardián abrió la jaula y apareció un león de grandeza extraordinaria. Abrió la boca, bostezó muy despacio y miró a todas partes con los ojos de fuego, para poner espanto a la misma temeridad.

Solo don Quijote lo miraba atentamente, deseando que saltase del carro para hacerlo pedazos. Hasta aquí llegó el extremo de su jamás vista locura.

Pero el generoso león, más prudente que arrogante, después de haber mirado a una y otra parte, volvió las espaldas y enseñó sus traseras partes a don Quijote, y con gran impasibilidad se volvió a echar en la jaula. Viendo lo cual, don Quijote mandó al leonero que le diese de palos y le irritase para echarlo fuera.

—Vuestra merced se contente con lo hecho —dijo el leonero—, y no quiera tentar segunda fortuna, pues si el enemigo no quiere combatir es un infame, y el que espera gana la corona de la victoria.

—Así es verdad —respondió don Quijote—. Cierra amigo la puerta y da testimonio de lo que aquí acabas de ver, pues si acaso su majestad pregunta quién ha hecho esta hazaña, le dirás que el Caballero de los Leones. De ahora en adelante quiero que me llamen así. En esto sigo la costumbre de los caballeros andantes que cambiaban sus nombres cuando querían.

Siguieron su camino en busca del famoso río Ebro. Al verlo, don Quijote se puso muy contento porque pudo contemplar el atractivo de sus riberas, la calma de su curso y la abundancia de sus aguas cristalinas.

Vio en la orilla una barca sin remos atada a un árbol. Miró por todas partes y no viendo a nadie, sin más ni más, bajó de Rocinante y le ordenó a Sancho que hiciera lo mismo y que atase las bestias a un árbol. Sancho se preguntaba el motivo de todo esto.

—Has de saber, Sancho, que esta barca me está llamando e invitando a subir a ella, para ir a socorrer a algún caballero o a algún noble personaje que se encuentra en peligro.

Subió a la barca con Sancho y cortó la cuerda, apartándose poco a poco de la orilla.

Temiendo por su vida, Sancho empezó a temblar y a llorar tan amargamente que don Quijote, lleno de cólera, le dijo:

—¿Por qué lloras, corazón de mantequilla? ¿De qué tienes miedo cobarde? Estamos navegando por la tranquila corriente de este hermoso río que nos llevará, dentro de poco, hacia el mar inmenso. Ya debemos de haber caminado setecientas leguas. Me gustaría tener un astrolabio con que tomar la altura del polo. O yo sé poco, o hemos pasado por la línea equinoccial que divide y corta los dos polos en igual distancia.

—Yo no creo nada de eso —respondió Sancho—, pues yo veo con mis mismos ojos que no nos hemos alejado de la orilla ni cinco

metros, y ahí están Rocinante y el rucio en el propio lugar donde los dejamos. Para mí, que tengo mucha mira, apuesto lo que quiera a que no nos movemos ni andamos al paso de una hormiga.

En esto, descubrieron unos grandes molinos de agua que estaban en medio del río.

—¿Ves? Allí, ¡oh amigo! se descubre la ciudad, castillo o fortaleza, donde debe de estar algún caballero oprimido o alguna reina o princesa maltratada, y aquí estoy para ayudarla.

—¿Qué diablos de ciudad, fortaleza o castillo dice vuestra merced, señor? —dijo Sancho—. ¿No ve que son molinos de agua donde se muele el trigo?

—Cállate, Sancho —respondió don Quijote—. Aunque parecen molinos de agua, no lo son. Ya te he dicho que los encantamientos transforman todas las cosas, como ya vimos con Dulcinea.

Entre tanto, la barca, entrada en la mitad de la corriente del río, empezó a navegar más deprisa.

Los molineros que vieron venir aquella barca por el río y que estaba para meterse en el torbellino de las ruedas, salieron rápidamente con palos largos a detenerla. Y como salían con los rostros y los vestidos cubiertos por el polvo de la harina, tenían un aspecto muy feo. Empezaron a gritar:

—¡Demonios de hombres! ¿Dónde vais? ¿Venís desesperados que queréis ahogaros y haceros pedazos en estas ruedas?

—¿No te dije yo, Sancho, que habíamos llegado donde he de mostrar hasta dónde llega el valor de mi brazo? Mira qué malandrines me salen al encuentro. Pues, ¡ahora lo veréis bellacos!

Y puesto en pie en la barca, con grandes voces empezó a amenazar a los molineros diciéndoles:

—Canalla malvada, dejad en libertad a la persona que en esa fortaleza vuestra o prisión tenéis oprimida; que yo soy don Quijote de la Mancha, llamado el Caballero de los Leones por otro nombre, a quien está reservado dar fin feliz a esta aventura.

Y diciendo esto, echó mano a su espada y comenzó a agitarla en el aire contra los molineros, los cuales, oyendo y no entendiendo aquellas sandeces, se pusieron con sus palos a detener la barca, que ya iba entrando en el canal de las ruedas.

Sancho se puso de rodillas, pidiendo devotamente al cielo que le librase de aquel peligro.

Los molineros consiguieron detener la barca con los palos, pero esto no impidió que don Quijote y Sancho cayesen al agua.

Don Quijote sabía nadar pero el peso de las armas lo llevó al fondo dos veces. Los molineros se arrojaron al agua y los sacaron a los dos más mojados que muertos de sed.

Llegaron en esto los pescadores, dueños de la barca, hecha pedazos por las ruedas del molino, y pidieron a don Quijote que se la pagase, el cual, con gran calma les dijo que se la pagaría de muy buena gana, si dejaban libre a las personas que en aquel castillo estaban prisioneras.

—¿De qué persona o de qué castillo hablas, hombre sin juicio? ¿Quieres llevarte a la gente que viene aquí a moler el trigo?

—Amigos, que estáis encerrados en esta prisión —dijo don Quijote— perdonadme, yo no os puedo sacar de vuestra angustia.

Para otro caballero debe de estar guardada esta aventura. Diciendo esto, pagó por la barca cincuenta reales, que les dio Sancho de muy mala gana.

Los pescadores y molineros estaban admirados mirando a aquellas dos figuras tan fuera de uso, y teniéndolos por locos, les dejaron y volvieron a su trabajo.

Don Quijote y Sancho volvieron a sus bestias, y este fin tuvo la aventura de la barca encantada.

# Después de leer

## Comprensión lectora

**DELE ❶** **Después de leer el capítulo debe contestar a las preguntas (1-6). Seleccione la respuesta correcta (a, b, c).**

1 Según el texto, en el carro con banderas...

   a ☐ venía un carretero.

   b ☐ venía un hombre sentado delante del carro.

   c ☐ venían dos hombres.

2 En el texto se dice que...

   a ☐ el leonero tiene mucha resistencia.

   b ☐ el leonero no quiere abrir la jaula.

   c ☐ el guardián abre la jaula cuando don Quijote se queda solo.

3 Según el texto, don Quijote quiere que el león salte del carro...

   a ☐ para domesticarlo.

   b ☐ para matarlo.

   c ☐ para que todos admiren su valentía.

4 Cuando don Quijote y su escudero subieron a la barca...

   a ☐ don Quijote empezó a llorar.

   b ☐ Sancho tuvo miedo.

   c ☐ Sancho se puso a gritar.

5 Según el texto, los molinos...

   a ☐ tenían las aspas y las movía el viento.

   b ☐ eran de aceite.

   c ☐ eran harineros.

6 Al final del capítulo...

   a ☐ Sancho no tiene ganas de seguir con su amo.

   b ☐ a Sancho no le da la gana de pagar la barca.

   c ☐ don Quijote le dice a su escudero que pague la barca.

DELE **2** En el texto del capítulo salen varios personajes. Relacione las preguntas (1-10) con los personajes (a-d).

a Don Quijote

c El carretero

b Sancho Panza

d Los molineros

1 ☐ ¿Quién dice que los encantamientos transforman todas las cosas?

2 ☐ ¿Quién dice que los leones tienen mucha hambre?

3 ☐ ¿Quién se alegra mucho cuando ve el Ebro?

4 ☐ ¿Quiénes tenían la cara y la ropa blancas?

5 ☐ ¿Quién ata el burro y el caballo a un árbol?

6 ☐ ¿Quiénes pueden cambiar su nombre cuando quieren?

7 ☐ ¿Quién se pone a rezar pidiendo que lo saquen del peligro?

8 ☐ ¿Quiénes piden una indemnización por los daños que les han ocasionado?

9 ☐ ¿Quién pensaba que don Quijote iba a morir comido por un león?

10 ☐ ¿A quién le da la espalda el león?

## El acento III

En español, la mayoría de las palabras son **llanas**, sílaba fuerte, o tónica, en la **penúltima**.

Llevan tilde las que no acaban en *vocal, -n* o *-s*.

☐ ■ ☐      ■ ☐      ☐ ■ ☐      ■ ☐

ca**mi**sa     **or**den     di**fí**cil     **már**mol

### Gramática

**3** Todas las palabras del cuadro son llanas. Escribe correctamente en una lista las que llevan tilde ( ´ ).

movil   armario   canciones   facil   arbol
ceniza   escudo   Sancho   Lopez   automovil
ventana   mentira   caracter   izquierda

## Comprensión lectora

DELE **4** Lea el siguiente texto del que se han extraído seis fragmentos. A continuación lea los ocho fragmentos propuestos (A-H) y decida en qué lugar del texto (1-6) hay que colocar cada uno de ellos. Hay dos fragmentos que no tiene que elegir.

### Los molinos de agua

Desde el Neolítico hasta la Edad Media, durante más de 4.000 años, sólo se usó el molino de mano para convertir el cereal en harina. En todos los casos se usaba una piedra fija como base. Existían dos técnicas para la molienda. En el primer caso el grano se convertía en polvo mediante el frotamiento con otra piedra. **(1)** ....................

Posteriormente se perfeccionaron aún más estas piedras creando un agujero por donde se introducía un palo que hacía la función de mango, facilitando el movimiento de giro. **(2)** ................... Como resultado de este avance tecnológico la labor de moler el cereal fue más productiva, aunque no dejaba de ser pesada.

Con el paso de los años las piedras de los molinos se hicieron más grandes para poder producir más harina en menos tiempo. **(3)** ................... Los romanos utilizaron esta tecnología pero tampoco la extendieron demasiado debido a la abundante mano de obra de siervos existente. Aproximadamente a partir del siglo I D.C. también se generalizó el uso de mulas, burros, caballos, bueyes o vacas, que aportaban su fuerza bruta dando vueltas para generar el movimiento del molino. (**4**) ................... Este tipo de molino tirado por bestias denominado Molino de Sangre, podía estar ubicado dentro de un edificio que no sólo albergaba el molino, sino que tenía también despensas para almacenar el cereal y la harina. Se desarrolló entonces el oficio de molinero, (**5**) ...................

Hubo que esperar hasta la Edad Media para que existiesen las condiciones necesarias para que los molinos de agua se transformaran en un instrumento clave para la economía. En gran medida, se sustituyó la energía proveniente del esfuerzo que hacían los animales por otro tipo de energía disponible en la naturaleza. (**6**) ................... En aquellos lugares donde las condiciones naturales lo permitían, se independizó el acto de moler de los animales, suprimiendo el coste que suponía alimentar y mantener a estas bestias de carga.

Poco a poco fueron apareciendo y consolidándose los molinos de viento y los molinos de agua. Se convirtieron en la mejor alternativa para moler, olvidándose para siempre los molinos manuales que se habían usado durante varios milenios.

**FRAGMENTOS**

**A** Los primeros molinos de agua que se conocen son del siglo I A.C. aunque su uso estaba poco extendido.

**B** una persona que vivía en la casa del molino y al que se le encargaba la tarea de moler el cereal a cambio de una porción de harina.

**C** En el segundo a base de golpes de una piedra contra la otra.

**D** La mayoría de los molinos de agua dejaron de funcionar con la llegada de la revolución industrial.

**E** En el centro de estas piedras se creaba un agujero por donde se echaba el grano.

**F** Los campesinos debían pagar a su señor con una parte del grano que querían moler.

**G** Se solía vendar los ojos a los animales para evitar que se marearan.

**H** El viento y el agua aportaban generosamente su energía para crear el movimiento necesario para accionar el molino.

## Expresión e interacción escritas

DELE **5** Usted es un ciudadano y un convencido ecologista. En su ciudad, la recogida diferenciada no funciona como debería. Escriba una carta al director de un periódico local en la que deberá:

- Presentarse.
- Explicar los motivos de su carta.
- Comentar las carencias de la administración local en la recogida de basuras.
- Proponer soluciones.
- Despedirse.

**Número de palabras: entre 150 y 180.**

**Usted va a leer una noticia relativa al tema tratado.**

El concejal de Medio Ambiente de la junta administrativa de la ciudad, declaró ayer en la radio que solamente el 55% de la población hace la recogida diferenciada.

Es verdad que en algunos barrios faltan los bidones para el papel y el plástico y que los camiones no pasan siempre a tiempo y por consiguiente, la basura se acumula en las calles.

Los operadores ecológicos se quejan continuamente con su empresa por las condiciones en las que les toca trabajar y por el trato económico que , según ellos, deja mucho que desear. Piden un aumento de sueldo a partir del próximo mes. Si no se atienden sus reivindicaciones proclamarán una huelga de tres días, lo que supondrá situaciones difíciles para la población, incluso de tipo sanitario.

La Administración, por su parte, está intentando contratar a otra empresa que se haga cargo de la situación.

Donde se da cuenta de las burlas que los duques
hicieron a don Quijote y Sancho.

Saliendo de un bosque, vio don Quijote a una gran señora
sobre un caballo blanco, vestida espléndidamente,
rodeada de gente, seguramente cazadores de su séquito.

—Ve, amigo Sancho, y di a aquella señora que yo, el
Caballero de los Leones, deseo servirla con todas mis fuerzas.

Sancho se puso de rodillas ante ella y exclamó:

—Hermosa señora, el Caballero de los Leones, mi amo, que
hasta hace poco se llamaba el de la Triste Figura, me envía ante
vuestra grandeza, para deciros que su único deseo es el de serviros.

—Levantaos, que escudero de tan gran caballero como es el de
la Triste Figura, de quien ya conocemos sus hazañas, no es justo
que esté de rodillas. Dile a tu señor que mi marido el duque y yo lo
invitamos a nuestro castillo.

Sancho fue a contarle todo a don Quijote.

Los duques, que ya habían leído la primera parte de *don Quijote de la Mancha* y conocían sus aventuras, decidieron secundar su locura y tratarlo como a un verdadero caballero andante, siguiendo todas las ceremonias de los libros de caballerías. El duque se adelantó para advertir a sus siervos cómo tenían que tratar a don Quijote.

Cuando llegaron al castillo, toda la servidumbre exclamó a grandes voces:

—¡Bienvenido sea la flor y nata de los caballeros andantes!

Fue el primer día que don Quijote creyó ser caballero andante verdadero y no fantástico, viéndose tratar de aquella manera.

El duque y la duquesa se divertían mucho con ellos, así que decidieron organizar una serie de burlas y bromas.

Un día, la duquesa estaba en el jardín del palacio conversando con Sancho, cuando entró un personaje de gran tamaño, vestido con una larga túnica negra y una espada enorme. Al llegar frente al duque, se quitó el velo de la cara, descubriendo una larguísima y blanquísima barba, y dijo con voz cavernosa:

—Señor duque, me llaman Trifaldín y soy el escudero de la condesa Trifaldi, también llamada dueña Dolorida, la cual pide permiso para venir a contar su pena.

—Podéis decirle que venga, buen escudero, porque aquí está el valiente caballero don Quijote que le dará su generosa ayuda.

Se fue Trifaldín, y entraron en el jardín doce doncellas con los rostros cubiertos, y detrás la condesa Trifaldi que, llegando delante de los duques, se arrodilló y con voz ronca dijo:

—Potentísimo señor y bellísima señora, antes de contaros mi desgracia, quisiera saber si está en esta compañía el grandísimo caballero don Quijote de la Manchísima, y su escuderísimo Panza.

—El Panza —dijo Sancho— aquí está, y el don Quijotísimo también; y así podréis dolorosísima dueñísima decir lo que queráis, que todos estamos dispuestísimos a ser vuestros servidorísimos.

Los duques y todos los que conocían el secreto de esta aventura se morían de risa y alababan entre sí la agudeza y disimulación de la Trifaldi, la cual prosiguió:

—La infanta Antonomasia, hija de la reina Maguncia, señora del reino de Candaya, se crió y creció bajo mi tutela. Era muy hermosa, y cuando tenía catorce años, un caballero de su corte, don Clavijo, consiguió enamorarla. Era poeta y tocaba la guitarra divinamente. Yo soy la responsable de este amor, pues, seducida por sus cantos y poesías, permití que se encontrase con ella y se casase en secreto. Cuando se enteró la reina, su madre, murió del disgusto. Apenas fue enterrada la reina, apareció el gigante Malambruno, su primo, un cruel encantador, sobre un caballo de leño. Para vengarse de la muerte de su prima y castigar a don Clavijo y Antonomasia, los convirtió en dos animales de bronce, dejándolos encantados en la misma sepultura. Entre los dos hay una columna de metal en la que está escrito: «No cobrarán su primera forma estos dos amantes hasta que el valeroso Manchego venga a pelear conmigo en singular batalla». Finalmente hizo traer todas la dueñas de palacio, que son estas que veis aquí, y nos castigó no con la muerte, sino con una pena más dilatada.

Entonces, la Dolorida y las demás dueñas descubrieron sus rostros, poblados de barbas.

Todos quedaron atónitos.

Dijo una de las dueñas:

—Así nos castigó Malambruno y si el señor don Quijote no nos salva, con barbas nos llevarán a la sepultura.

—Por mí no quedará —respondió don Quijote—: decidme,

señora, qué es lo que tengo que hacer porque estoy dispuesto a serviros.

—Es el caso que el reino de Candaya está a cinco mil leguas si se va por tierra, pero por el aire, en línea recta, está a tres mil. Malambruno me dijo que cuando encontrara al caballero, nuestro libertador, me enviaría un caballo de madera que vuela velocísimo por los aires. Malambruno lo usa para sus viajes por todo el mundo y nos lo mandará antes de que anochezca.

—¿Y cuántos caben en ese caballo? —preguntó Sancho.

—Dos personas, el caballero y el escudero.

—¿Y cómo se llama ese caballo?

—Se llama Clavileño —respondió la barbuda condesa— porque es de madera y se gobierna con una clavija[1] que lleva en la frente.

—Me gustaría verlo —respondió Sancho con un poco de miedo—, pero pensar que tengo que subir en él, es pedir peras al olmo. ¿Qué tienen que ver los escuderos con las aventuras de sus señores?

—Señora Trifaldi —dijo don Quijote— no se preocupe, Sancho hará lo que yo le mande.

Llegada la noche, entraron por el jardín cuatro salvajes que traían un gran caballo de madera, y uno de ellos dijo:

—Suba sobre esta máquina el caballero que tenga ánimo.

—Aquí no subo yo —dijo Sancho— porque ni tengo ánimo ni soy caballero.

Y prosiguió el salvaje:

—Este caballo os llevará por los aires adonde los espera Malambruno; pero para que la altura no les dé vértigo, se han de cubrir los ojos hasta que el caballo relinche, que será la señal de haber dado fin a su viaje.

---

1. **clavija** : pieza de metal o de madera que se introduce en un orificio.

Sancho no quería subir por el miedo, pero al final el duque lo convenció.

Les taparon los ojos y montaron sobre Clavileño. Apenas don Quijote tocó la clavija, todas la dueñas y cuantos estaban presentes levantaron las voces diciendo:

—Dios te guíe, valeroso caballero, Dios sea contigo, escudero intrépido. Ya vais por los aires más veloces que una saeta. Ya comenzáis a suspender y admirar a cuantos desde la tierra os están mirando. Agárrate, valeroso Sancho, no vayas a caerte de tanta altura.

Oyendo las voces, Sancho se apretó con su amo y ciñéndole con sus brazos le dijo:

—Señor, ¿cómo dicen estos que vamos tan altos si oímos sus voces y parece que están aquí hablando junto a nosotros?

—No tengas miedo amigo, porque estas cosas y estos vuelos se salen de lo ordinario. Y no me aprietes tanto que me derribas. Aleja de ti el miedo porque la cosa va como ha de ir, y el viento llevamos en popa.

—Así es la verdad —respondió Sancho—, que por este lado me da un viento muy fuerte.

Y así era, porque los siervos del duque estaban haciendo aire con unos grandes fuelles[2].

—Sin duda alguna, Sancho, que ya debemos de llegar a la segunda región del aire, donde se engendra el granizo o las nieves; los truenos, los relámpagos y los rayos se engendran en la tercera región, y si seguimos subiendo, pronto estaremos en la región del fuego.

2.  **fuelle** : utensilio que sirve para soplar.

Entretanto, los siervos les calentaban los rostros con unas estopas encendidas pendientes de una caña.

Sancho que sintió el calor dijo:

—Que me maten si no estamos ya en el lugar del fuego o bien cerca, porque una gran parte de mi barba se me ha chamuscado[3], y estoy, señor, por descubrirme y ver en qué parte estamos.

—No hagas eso —respondió don Quijote— , que el que nos lleva a cargo, cuidará de nosotros, y quizá vamos subiendo en alto para dejarnos caer sobre el reino de Candaya; y aunque nos parece que no hace media hora que partimos del jardín, créeme que debemos de haber hecho gran camino.

Los duques, y todos los presentes, se divertían escuchando a don Quijote y Sancho. Queriendo poner fin a la bien preparada aventura, dieron fuego a Clavileño por la cola, y como el caballo estaba lleno de cohetes tronadores, voló por los aires y dio con don Quijote y su escudero en el suelo medio chamuscados. Se levantaron maltrechos y quedaron atónitos de verse en el mismo jardín de donde habían partido y a tanta gente por tierra.

Creció más su admiración, cuando vieron hincada en el suelo una gran lanza y un pergamino blanco colgado en el que, con letras de oro estaba escrito:

«El ínclito caballero don Quijote de la Mancha acabó la aventura de la condesa Trifaldi, por otro nombre llamada la dueña Dolorida. Malambruno se da por contento y satisfecho, y las barbas de las dueñas ya han desaparecido. Los reyes don Clavijo y Antonomasia han vuelto a su primer estado.»

---

3. **chamuscar** : quemar algo superficialmente o por las puntas.

Don Quijote tomó la mano del duque y le dijo:

—Ea, buen señor, ánimo que la aventura se ha acabado como demuestra este pergamino.

El duque y la duquesa, y todos los que estaban en el jardín, fueron volviendo en sí con tales muestras de maravilla y espanto, que parecía les había pasado de veras lo que tan bien sabían fingir de burlas.

Leyó el duque el pergamino y abrazó a don Quijote diciéndole que era el más buen caballero que en ningún siglo se había visto.

Así acabó la aventura de la Dolorida que dio que reír a los duques por toda la vida.

Sancho fue objeto de otras burlas: el duque le regaló una isla y finalmente fue nombrado gobernador de la isla Barataria, un pueblo de unos mil vecinos, cerca del castillo del duque. Allí, un falso médico, a la hora de la comida, le prohibía comer de casi todos los manjares con la excusa de que eran perjudiciales para su salud. Sancho pasó mucha hambre. Una noche simularon también un ataque de enemigos contra su reino, tan real, que acabó desmayándose por el miedo. Los que habían organizado la burla, se arrepintieron de habérsela hecho tan pesada porque podía haber acabado mal.

Al final, cansado de tantas peripecias y bromas, con gran pena y pesar, Sancho subió sobre su asno y dirigiéndose al falso mayordomo, al secretario, al doctor y a todos los presentes que habían fingido ser sus siervos, dijo:

—Abrid camino, señores míos y dejadme volver a mi antigua libertad: dejadme que vaya a buscar la vida pasada, para que me resucite de esta muerte presente. Yo no nací para ser gobernador, ni para defender ínsulas o ciudades de los enemigos que quieran atacarlas. Yo soy un campesino y entiendo de las labores del campo. Bien se está San Pedro en Roma, quiero decir que cada uno debe hacer el oficio para el que ha nacido. Prefiero una hoz en la mano que un cetro de gobernador; mejor comer gazpachos que estar sujeto a un médico impertinente que me mate de hambre; más quiero dormir a la sombra de un árbol que en una cama con sábanas blancas... Vuestras mercedes se queden con Dios, y digan al duque mi señor, que desnudo nací, desnudo me hallo, ni pierdo ni gano, quiero decir que sin dinero entré en este gobierno y sin él salgo, que no todos los gobernadores pueden decir lo mismo. Cada oveja con su pareja, y nadie tienda más la pierna de cuanto sea grande la sábana. Y déjenme ir que voy a darme una pomada, que creo que tengo rotas todas las costillas, gracias a los enemigos que se han paseado sobre mí esta noche.

Todos le abrazaron, y él, llorando, abrazó a todos, y los dejó admirados de sus razones y de su determinación tan resoluta y tan discreta.

Sancho llegó al castillo del duque y le contó lo que había pasado.

Entretanto, don Quijote decidió que ya era hora de abandonar aquel palacio para recobrar su libertad. Pidió permiso a los duques, y con su fiel escudero se fueron, después de haber saludado a todos.

# Después de leer

## Comprensión lectora

DELE **1** Después de leer el capítulo, conteste a las preguntas (1-7). Seleccione la respuesta correcta (a, b, c).

1 Según el capítulo, los duques...
   a ☐ le dicen a don Quijote que está loco.
   b ☐ creen que don Quijote es un verdadero caballero.
   c ☐ saben de la locura de don Quijote.

2 Don Quijote se cree un caballero verdadero porque...
   a ☐ se lo dice su escudero.
   b ☐ por el buen trato de los siervos.
   c ☐ llega a un castillo verdadero.

3 El texto dice que Clavijo y Antonomasia volverán normales...
   a ☐ cuando Malambruno cabalgue sobre un caballo de madera.
   b ☐ cuando don Quijote luche contra Malambruno.
   c ☐ cuando Clavijo recite poesías.

4 Sancho sube al caballo de madera...
   a ☐ porque se lo dice don Quijote.
   b ☐ porque el escudero tiene que ir con su amo.
   c ☐ por la insistencia del duque.

5 En el texto se dice que Sancho ya no quiere ser gobernador...
   a ☐ porque pasa mucha hambre.
   b ☐ porque tiene miedo de los enemigos.
   c ☐ porque está harto de que se burlen de él.

6 Sancho se despide de la isla Barataria diciendo que...
   a ☐ está muy contento por el trato recibido.
   b ☐ cada uno debe dedicarse al oficio que le corresponde.
   c ☐ los gobernadores ganan dinero.

7 El personaje que sale más malparado en el capítulo es...
   a ☐ la condesa Trifaldi.
   b ☐ don Quijote.
   c ☐ Sancho Panza.

DELE **2** Para conocer la vida y el aspecto físico del autor del *Quijote*, nada mejor que leerlo de su propia pluma. Lea el siguiente texto del que se han extraído seis fragmentos. A continuación lea los ocho fragmentos propuestos (A-H) y decida en qué lugar del texto (1-6) hay que colocar cada uno de ellos. Hay dos fragmentos que no tiene que elegir.

## Prólogo de las *Novelas ejemplares*

Este que veis aquí, de rostro aguileño, de cabello castaño, frente lisa y desembarazada, de alegres ojos y de nariz corva, aunque bien proporcionada; las barbas de plata, (**1**) ..........; los bigotes grandes, la boca pequeña; los dientes, ni menudos ni crecidos, porque no tiene sino seis, (**2**) .........., porque no tienen correspondencia los unos con los otros; el cuerpo entre dos extremos, ni grande ni pequeño; el color vivo, antes blanco que moreno; algo cargado de espaldas y no muy ligero de pies; (**3**) .........., y del que hizo el Viaje del Parnaso a imitación del de César Caporal Perusino y otras obras que andan por ahí descarriadas y quizá sin el nombre de su dueño, (**4**) ..........
Fue soldado muchos años, y cinco y medio cautivo, donde aprendió a tener paciencia en las adversidades. Perdió en la batalla naval de Lepanto la mano izquierda de un arcabuzazo; (**5**) .........., por haberla cobrado en la más memorable y alta ocasión que vieron los pasados siglos ni esperan ver los venideros, militando debajo de las vencedoras banderas del hijo del rayo de la guerra, (**6**) .......... .

**FRAGMENTOS**

**A**   y esos mal acondicionados y peor puestos

**B**   llámase comúnmente Miguel de Cervantes Saavedra.

**C**   que no ha veinte años que fueron de oro

**D**   perdió un brazo en la batalle de Lepanto.

**E**   Carlos V, de feliz memoria.

**F**   éste digo que es el rostro del autor de La Galatea y de Don Quijote de la Mancha

**G**   cuando era joven rubio

**H**   herida que, aunque parece fea, él la tiene por hermosa

**DELE ③** Usted va a leer cuatro textos en los que cuatro personas hablan de la vida del famoso escritor Stephen King. Relacione las preguntas (1-8) con los textos (A, B, C y D).

**A Javier**

Cuando Stephen tenía cuatro años, su padre salió a comprar cigarrillos y nunca más volvió. Su madre trabajaba guisando en una residencia para ancianos. De pequeño fue testigo de un espantoso accidente mortal de un amigo suyo. Conoció a su mujer Tabitha en la biblioteca de la universidad de Maine y en 1971 contrajeron matrimonio. Tenían poco dinero y vivían en una caravana.

**B Manuela**

King empezó a escribir muy joven. En el colegio les vendía cuentos a sus compañeros, y, más tarde, publicaba relatos en las revistas para sacar algún dinero. Sobre todo, fue un voraz lector. *Carrie*, su primera novela, fue rescatada de la papelera por su mujer, que lo animó a acabarla. Le ofrecieron 2.500 dólares de adelanto, pero con la posterior venta de derechos, en 1974, ganó 200.000.

**C Miguel**

Durante un tiempo, tuvo problemas de depresión y su mujer amenazó con dejarlo. Tenía una gran pasión por el rock y tocaba la guitarra en una banda. En 1999, un conductor atropelló a King, que caminaba por la acera. Sufrió graves heridas y fracturas en pierna y cadera. El incidente está presente en algunas de sus novelas.

**D Gloria**

King tiene amigos y enemigos. Se ha declarado admirador de *Harry Potter* y asegura que su autora, J.K. Rowling, es una gran escritora. En cambio, de Stephenie Meyer, la creadora de la saga *Crepúsculo*, ha dicho que «no puede escribir nada que valga la pena».

1 ☐ ¿Quién dice que la Meyer no es una buena escritora?
2 ☐ ¿Quién dice que King leía mucho?
3 ☐ ¿Quién dice que su mujer quería abandonarlo?
4 ☐ ¿Quién dice que su madre trabajaba como cocinera?
5 ☐ ¿Quién dice que un amigo de King tuvo un accidente mortal?
6 ☐ ¿Quién dice que alguien impidió que Carrie no se publicara?
7 ☐ ¿Quién dice que tocaba en una banda?
8 ☐ ¿Quién dice que su padre lo abandonó?

DELE **4** Don Quijote dice a Sancho que «la libertad es uno de los más preciosos dones que los cielos dieron a los hombres». Lea el siguiente texto, y rellene los huecos (1-8) con la opción correcta (a, b, c).

### Libertad de pensamiento, de conciencia y de religión

Toda persona (1) .......... derecho a la libertad del pensamiento, de conciencia y de religión; este derecho implica la libertad de cambiar de religión o de convicciones, (2) .......... la libertad de manifestar su religión o sus convicciones individual o colectivamente, en público o en privado, por medio (3) .......... culto, la enseñanza, las prácticas y la observación de los ritos.

### Libertad de expresión

Toda persona tiene derecho a la libertad de expresión. Este derecho comprende la libertad de opinión y la libertad de recibir o de comunicar informaciones o ideas, (4) .......... que pueda haber injerencia de autoridades públicas y sin consideración de fronteras.

El ejercicio de estas libertades, que entrañan deberes y responsabilidades, (5) .......... ser sometido a ciertas formalidades, condiciones, restricciones o sanciones (6) .......... por la ley, que constituyan medidas necesarias, en una sociedad democrática, para la seguridad nacional, la integridad territorial o la seguridad (7) .........., la defensa del orden y la prevención del delito, la protección de la salud o de la moral.

### Libertad de reunión y de asociación

(8) .......... persona tiene derecho a la libertad de reunión pacífica y a la libertad de asociación.

| 1 | a | tienes | b | tiene | c | tienen |
|---|---|---|---|---|---|---|
| 2 | a | tanto como | b | como | c | así como |
| 3 | a | de el | b | de | c | del |
| 4 | a | basta | b | con | c | sin |
| 5 | a | pueda | b | podrá | c | pudiera |
| 6 | a | previsibles | b | preventivadas | c | previstas |
| 7 | a | públicas | b | publica | c | pública |
| 8 | a | todas | b | cualquiera | c | toda |

# Que trata de la aventura que más pesadumbre dio a don Quijote de las que hasta entonces le habían sucedido, con el Caballero de la Blanca Luna.

**D**on Quijote y su escudero tenían ganas de ir a Barcelona, así que se dirigieron hacia aquella ciudad. Mientras caminaban, recordando los días pasados en el palacio de los duques, don Quijote dijo:

—La libertad, Sancho, es uno de los más preciosos dones que a los hombres dieron los cielos; por la libertad se puede y debe aventurar la vida; y por el contrario, el cautiverio es el mayor mal que puede venir a los hombres. Digo esto, Sancho, porque a pesar de la abundancia que tuvimos en el castillo de los duques, no me sentía libre. Las obligaciones de las recompensas y de los beneficios recibidos son ataduras que no nos dejan el espíritu libre, pues tenemos que agradecérselo a alguien. Dichoso aquel a quien el cielo dio un pedazo de pan, sin que le quede obligación de agradecerlo a otro que al mismo cielo.

Tras varios días de camino, divisaron el mar que hasta entonces no habían visto, quedando sorprendidos de aquella masa enorme de agua.

En la playa de Barcelona, encontraron a muchos caballeros que los saludaron:

—Bienvenido a nuestra ciudad, flor y estrella de toda la caballería andante. Sea bienvenido don Quijote de la Mancha.

Don Quijote le dijo a Sancho:

—Estos caballeros nos han reconocido; seguramente han leído nuestras aventuras.

Rodeados de gente entraron en Barcelona, y durante algunos días visitaron la ciudad.

Una mañana, don Quijote, vestido con todas sus armas, estaba paseando por la playa, cuando de repente, vio venir a un caballero armado de pies a cabeza; su escudo llevaba una luna resplandeciente. Cuando estuvo cerca dijo:

—Insigne caballero, y jamás como se debe alabado don Quijote de la Mancha, yo soy el Caballero de la Blanca Luna y vengo a combatir contigo y a probar la fuerza de tus brazos, para hacerte confesar que mi dama es, sin comparación, más hermosa que tu Dulcinea del Toboso. Si admites esta verdad evitarás la muerte. Pero si combates y yo te venzo, quiero que abandones las armas, que no busques aventuras y que vuelvas a tu pueblo por un año, donde has de vivir sin echar mano a la espada, en paz y tranquilidad. Si tú me vences, quedará a tu discreción mi cabeza, y serán tuyos los despojos de mis armas y caballo y la fama de

mis hazañas será tuya. Mira lo que prefieres y luego respóndeme porque hay que decidirlo todo hoy mismo.

Don Quijote quedó sorprendido y atónito de la arrogancia del caballero, y muy severamente le respondió:

—Caballero de la Blanca Luna, estoy seguro de que nunca habéis visto a la ilustre Dulcinea, porque de haberla visto, sabríais que no ha habido ni puede haber belleza que pueda compararse con la suya. Y así, acepto el desafío con las condiciones que habéis puesto. Tomad, pues, la parte del campo que queráis y no se hable más.

Algunos amigos de don Quijote y otros caballeros llegaron a la playa en aquel momento y preguntaron la causa de aquel desafío.

El Caballero de la Blanca Luna se lo explicó en pocas palabras.

—Señores caballeros —dijo uno de los presentes— si aquí no hay otro remedio sino confesar o morir, manos a las armas y que Dios os proteja.

Sin esperar ninguna señal, los dos partieron al galope.

Como el de la Blanca Luna tenía un caballo más veloz, se fue contra don Quijote con tanta violencia que, sin tocarlo con la lanza, de propósito, dio con Rocinante y con don Quijote por el suelo una peligrosa caída. Fue luego sobre él, y poniéndole la lanza en la visera le dijo:

—Vencido sois caballero, y aun muerto si no confesáis las condiciones de nuestro desafío.

Don Quijote, molido y aturdido, sin alzarse la visera, con voz debilitada y enferma dijo:

—Dulcinea del Toboso es la más hermosa mujer del mundo, y yo el más desdichado caballero de la tierra. Aprieta, caballero, la lanza, y quítame la vida, pues me has quitado la honra.

—Eso no haré yo, por cierto —dijo el de la Blanca Luna—; viva la fama de la hermosura de Dulcinea, que solo me contento con que el gran don Quijote se retire a su pueblo un año, como concertamos antes de entrar en esta batalla.

Don Quijote respondió que cumpliría todo, como caballero puntual y verdadero.

Rocinante de tan mal parado no se pudo mover por entonces. Sancho, muy triste y apesadumbrado, no sabía qué decir ni qué hacer. Le parecía que todo aquello era un sueño o cosa de un encantamiento. Veía a su señor rendido y obligado a no tomar armas en un año. Imaginaba la gloria de sus hazañas oscurecida, las esperanzas de sus nuevas promesas deshechas, como se deshace el humo con el viento. Temía que Rocinante no pudiera cabalgar de nuevo y don Quijote caminar. Finalmente, con una silla de ruedas que trajeron, lo llevaron a la ciudad.

El Caballero de la Blanca Luna se fue y entró en la ciudad.

Uno de los amigos de don Quijote lo siguió, y le preguntó quién era.

—Tenéis que saber, señor, que me llaman el bachiller Sansón Carrasco, y soy del mismo pueblo de don Quijote de la Mancha. Los que lo conocen y le quieren piensan que su salvación está en el descanso en su casa y en su tierra. Hace tres meses salí del pueblo como caballero andante para desafiarlo, vencerlo, sin hacerle daño y obligarlo a volver a su pueblo y no salir por un año. Como don Quijote es muy puntual en guardar las órdenes de la andante caballería, sin duda alguna, guardará la que le he dado, en cumplimiento de su palabra. Esto es lo que ha pasado, y os ruego que no digáis a don Quijote quién soy, para que mis buenos pensamientos tengan un buen resultado y pueda recobrar su juicio.

Así se lo prometió el amigo de don Quijote.

Don Quijote estuvo seis días en la cama, triste y pensativo.

Sancho trataba de consolarlo y entre otras razones le dijo:

—Señor mío, levante vuestra merced la cabeza, y alégrese si puede, y dé gracias al cielo que ya que le derribó en la tierra no salió con alguna costilla quebrada. Volvámonos a nuestra casa, y dejémonos de andar buscando aventuras por tierras y lugares que no conocemos. Y según del lado que se mire, yo soy aquí el que más pierde, aunque es vuestra merced el más malparado. Es cierto que con el gobierno dejé los deseos de ser gobernador, pero no dejé las ganas de ser conde, que jamás tendrá efecto si vuestra merced deja de ser rey abandonando el ejercicio de la caballería. Y así, mis esperanzas vienen a volverse en humo.

—¡Cállate Sancho! Mi retiro no durará más de un año. Después volveré a la caballería andante y no me ha de faltar reino que gane o algún condado que darte.

Don Quijote se despidió de sus amigos, y luego partió desarmado, mientras Sancho iba a pie, por ir el asno cargado con las armas.

Durante el camino de regreso, don Quijote tomó la resolución de hacerse pastor y seguir la vida del campo en tanto que se pasaba el año de su promesa:

—Yo compraré algunas ovejas y todas las demás cosas que son necesarias. Yo me llamaré el pastor Quijotiz, y tú el pastor Pancino, iremos por los montes, por las selvas y por los prados, cantando, bebiendo de los líquidos cristales de las fuentes o de los limpios arroyos, o de los caudalosos ríos. Nos darán su abundante y dulce fruto las encinas, asiento los troncos de los durísimos alcornoques, o sombra los sauces, olor las rosas, alfombras de mil colores los prados, aliento el aire claro y puro, luz la luna y las estrellas, a pesar de la oscuridad de la noche, gusto el canto, alegría el llanto, Apolo versos, el amor conceptos, con que podremos hacernos eternos y famosos, no solo en los presentes sino en los siglos venideros.

# Después de leer

## Comprensión lectora

DELE **1** Después de leer el capítulo debe contestar a las preguntas (1-7). Seleccione la respuesta correcta (a, b, c).

**1** Según don Quijote, lo peor que le puede pasar a un hombre es...

   **a** ☐ sentirse libre.

   **b** ☐ frecuentar palacios de ricos.

   **c** ☐ ser esclavo.

**2** Don Quijote dice que si recibes una recompensa...

   **a** ☐ es porque te la mereces.

   **b** ☐ te sientes mejor.

   **c** ☐ casi estás obligado a dar las gracias.

**3** Según el texto, el Caballero de la Blanca Luna...

   **a** ☐ es un enemigo de don Quijote.

   **b** ☐ no conocía a don Quijote.

   **c** ☐ era del mismo pueblo que don Quijote.

**4** Don Quijote vencido quiere...

   **a** ☐ irse de Barcelona.

   **b** ☐ que el de la Blanca Luna lo mate.

   **c** ☐ retirarse a su pueblo.

**5** Dice el texto que Sansón Carrasco es...

   **a** ☐ un caballero andante.

   **b** ☐ el barbero.

   **c** ☐ uno que quiere el bien de don Quijote.

**6** En el camino de regreso, Sancho iba...

   **a** ☐ andando.

   **b** ☐ montado en su asno.

   **c** ☐ a caballo.

**7** Al final, don Quijote decide dedicarse...

   **a** ☐ a las labores del campo.

   **b** ☐ a la vida pastoril.

   **c** ☐ a la cría del ganado vacuno.

## Comprensión auditiva

DELE ❷ Don Quijote y Sancho viajan siempre en busca de aventuras. Usted va a escuchar parte de una entrevista a Ramón Freixa, un cocinero famoso al que le encantan los viajes y la aventura. Después debe contestar a las preguntas (1-7). Seleccione la respuesta correcta (a, b, c).

1 En la entrevista, Ramón dice que cuando vio Tokio...
  a ☐ le gustó mucho.
  b ☐ le impactó.
  c ☐ le causó una mala impresión.

2 Ramón dice que como compañero de viaje prefiere...
  a ☐ depende adónde va.
  b ☐ su novia.
  c ☐ un amigo.

3 Según la entrevista, Ramón quiere ir a Cuba porque...
  a ☐ es un país comunista.
  b ☐ todo sigue como antes.
  c ☐ le gusta el Caribe.

4 El próximo viaje de Ramón va a ser...
  a ☐ a Capri.
  b ☐ a Birmania.
  c ☐ a una isla griega.

5 El famoso cocinero viviría en la Costa Brava...
  a ☐ porque le gusta la buena comida.
  b ☐ porque puede ir a pescar.
  c ☐ porque le gusta esquiar en la montaña.

6 Lo que Ramón lleva siempre en su maleta son...
  a ☐ las máquinas fotográficas.
  b ☐ camisas.
  c ☐ muchos calcetines.

7 Ramón mandaría a un viaje de solo ida...
  a ☐ a un amigo antipático.
  b ☐ a los que hacen trabajar a los niños.
  c ☐ a la gente mala.

## Léxico

**3** **Rellena los huecos de cada frase con la palabra o expresión del cuadro que has encontrado en el capítulo.**

| | | | |
|---|---|---|---|
| **a** | hazañas | **f** | ataduras |
| **b** | atónito | **g** | molido |
| **c** | malparado | **h** | encinas |
| **d** | alfombra | **i** | apesadumbrado |
| **e** | sauces | **j** | de repente |

1 —A la orilla del río había unos ............................. cuyas ramas tocaban el agua.

2 —Está muy .............................porque no ha aprobado el último examen.

3 —Todo el mundo conoce las .............................del caballero de La Mancha.

4 —Después de robarle, le han .............................a palos.

5 —Me quedé .............................cuando vi que nadie ayudaba a los pasajeros después del accidente.

6 —Mi novia me regaló una ............................. iraní para mi cumpleaños.

7 —El equipo de fútbol salió muy ............................. del encuentro porque los adversarios eran mejores.

8 —El fruto de las ............................. es la bellota, que constituye el alimento principal del famoso cerdo ibérico.

9 —Aquel hombre rompió sus ............................. con el pasado y emprendió una nueva vida.

10 —Estábamos tomando el sol en la playa cuando ............................. empezó a llover.

**4** En cada una de las frases (1-7) siguientes se ha marcado con letra negrita un fragmento. Elija de entre las tres opciones de respuesta (a, b, c), aquella que tenga un significado equivalente al del fragmento marcado.

1 La libertad es uno de los *regalos* que el cielo dio a los hombres.

a ☐ pesares

b ☐ dones

c ☐ dádivas

2 Se trata de la aventura que más *pesadumbre* dio a don Quijote.

a ☐ preocupación

b ☐ problemas

c ☐ tristeza

3 Dichoso aquel a quien el cielo dio un *pedazo* de pan.

a ☐ trozo

b ☐ poco

c ☐ barra

4 *De repente*, don Quijote vio venir a un caballero armado.

a ☐ enseguida

b ☐ inesperadamente

c ☐ enfrente

5 Aprieta, caballero, la lanza, pues me has quitado la *honra*.

a ☐ alegría

b ☐ locura

c ☐ dignidad

6 *Tras* varios días de camino, divisaron el mar.

a ☐ después

b ☐ luego

c ☐ después de

7 Las obligaciones de las recompensas son *ataduras* que no nos dejan el espíritu libre.

a ☐ impresiones

b ☐ sujeciones

c ☐ ilusiones.

## Expresión e interacción escritas

**DELE 5** Usted colabora con la revista de su colegio y le han pedido que escriba un artículo sobre los adolescentes y el tiempo libre. En el artículo debe incluir y analizar la información que aparece a continuación.

**1** Casi todos los entrevistados residen con un familiar:
- el 54%: con los padres;
- el 20%: con abuelos;
- el 13%: con amigos;
- el 7%: con tíos o hermanos.

**2** El ocio es un tiempo para:
- el 32%: salir con amigos;
- el 16%: descansar;
- el 15%: integrarse socialmente;
- el 10%: ver la tele;
- el 5%: afirmar su identidad.

**3** Qué les gusta hacer:
- el 90%: salir con amigos;
- el 30%: no hacer nada;
- el 30%: ir al gimnasio;
- el 20%: practicar un deporte;
- el 15%: leer un libro;
- el 10%: aprender una lengua extranjera;
- el 8%: visitar a los abuelos.

**Redacte un texto en el que deberá:**
- Comentar la importancia que tiene el ocio para los adolescentes.
- Comparar los porcentajes de las distintas actividades.
- Resaltar los datos que considere más relevantes.
- Opinar sobre la información que se le ha dado.
- Elaborar una conclusión.

**Número de palabras: entre 150 y 180.**

### Expresión e interacción orales

DELE **6** Según la encuesta del ejercicio anterior, el 20% de los adolescentes practica un deporte. Usted debe imaginar una situación a partir de una fotografía y describirla durante unos dos minutos. A continuación conversará con el profe acerca de sus experiencias y opiniones sobre el tema de la situación.

Deberá elegir una de las dos fotografías propuestas.

Imagine la situación y hable sobre ella durante dos minutos.
Estos son algunos aspectos que puede comentar:

- ¿Dónde están esas personas?
- ¿Qué están haciendo? ¿Por qué?
- ¿Qué relación hay entre esas personas?
- ¿Cómo va a terminar esa situación?

# El hombre que mató a don Quijote

Hay Quijotes franceses, españoles – naturalmente – húngaros, chinos, latinoamericanos, estadounidenses... Estadounidense es Terry Gilliam, americano de nacimiento pero ciudadano británico desde 2006, director de cine, guionista, actor, animador, escritor...

La primera película sobre don Quijote se hizo en 1898, y la última en 2010.

También él, en 2000, quiso hacer una película sobre el Caballero de la Triste Figura, titulada *El hombre que mató a don Quijote*. Pero al igual que su colega Orson Welles, tuvo que enfrentarse a la amarga experiencia de abandonar dicho proyecto, sea en 2000 que en 2010 cuando intentó realizarlo de nuevo. Por eso se le llama "La película que murió dos veces". Una serie de tragedias naturales y materiales lo impidió...

- El presupuesto era demasiado alto, (32 millones de euros) y había mucho desorden durante el rodaje.
- Como paisaje eligieron una especie de desierto llamado las Bardenas Reales, en la provincia de Navarra, un parque natural de belleza salvaje declarado Reserva de la Biosfera por la UNESCO.
- El primer día de rodaje, unos estruendosos aviones militares del ejército español, de una base cercana, empezaron a sobrevolar el cielo en pleno rodaje, afectando el sonido de la banda sonora.

- Los caballos estaban sin entrenar.
- El segundo día, una fuerte tormenta arrasó con los decorados, estropeó gran parte del equipo y cambió la apariencia del color y del paisaje donde todavía quedaba por filmar.
- Para dar el golpe de gracia, unas semanas después, el actor francés que interpretaba a don Quijote, Jean Rochefort, sufrió una hernia de disco que le impidió cabalgar, y por lo tanto no pudo seguir actuando, lo que dio por terminada la producción de la película, después de solo seis días de rodaje. Otros protagonistas eran Johnny Deep, en el papel de Sancho Panza, y Vanessa Paradis como Dulcinea.

De todos estos problemas y vicisitudes de la película jamás terminada, los directores Keith Fulton y Louis Pepe hicieron un documental llamado **Lost in La Mancha**, (*Perdidos en La Mancha*), donde, en 90 minutos, se cuentan los problemas con el itinerario, plan de rodaje y presupuesto, los conflictos personales, así como varias tomas y escenas mezcladas con entrevistas. También se puede ver cómo los técnicos se desesperan por el modo de trabajar de Gilliam, una mente caótica y genial con una imaginación desbordante.

En 2002, con Jeff Bridges como narrador, este documental se proyectó en distintos festivales internacionales. En España se ha podido ver la versión original subtitulada.

## De cómo don Quijote y Sancho llegaron a su pueblo, de la enfermedad, del testamento y de su muerte.

T ras varios días de camino, sin que sucediese ninguna cosa  digna de ser contada, finalmente subieron a una colina, y desde allí divisaron su pueblo. Sancho se puso de rodillas y exclamó:

—Abre los ojos, deseada patria, y mira que vuelve a ti Sancho Panza, tu hijo. Abre los brazos, y recibe también a tu hijo don Quijote; que, si viene vencido de los brazos ajenos, viene vencedor de sí mismo.

—Déjate de esas sandeces —dijo don Quijote—, y vamos con pie derecho a entrar en nuestro lugar con los mejores auspicios.

Con esto bajaron la cuesta y se fueron a su pueblo. A la entrada, el cura y el bachiller Sansón Carrasco los conocieron y vinieron a ellos con los brazos abiertos. Don Quijote bajó del caballo y los abrazó estrechamente. En la puerta de su casa halló a su ama y su sobrina. Había venido también Teresa Panza, la mujer de Sancho, con su hija Sanchica. Se abrazaron y se fueron a su casa, dejando a don Quijote con el cura y el bachiller. Don Quijote se apartó a solas con ellos y en breves razones les contó su vencimiento y la obligación en que había quedado en no salir de su aldea en un año. Tenía pensado hacerse pastor para entretenerse en la soledad de los campos donde poder dar rienda suelta a sus amorosos pensamientos. Él se llamaría Quijotiz, y Sancho, Pancino.

Quiso la suerte que su sobrina y el ama oyeran la conversación de los tres; y así como se fueron entraron ambas con don Quijote, y la sobrina le dijo:

—¿Qué es esto, señor tío? Ahora que pensábamos que vuestra merced volvía a su casa para pasar en ella una vida tranquila y honrada, se quiere meter en nuevos laberintos haciéndose pastor?

Y el ama añadió:

—¿Y podrá vuestra merced pasar en el campo las siestas del verano, los fríos del invierno, el aullido de los lobos? Ciertamente no, que este es un oficio de hombres robustos y curtidos criados para ello desde pequeños. Y, mal por mal, mejor es ser caballero andante que pastor. Mire, señor, tome mi consejo: estése en su casa, atienda su hacienda, confiese a menudo y favorezca a los pobres.

—Callad, hijas —les respondió don Quijote—, que yo sé bien lo que tengo que hacer. Llevadme a la cama que no me encuentro muy bien; y tened por cierto que, ya sea caballero andante o pastor, no dejaré de acudir a los menesterosos.

Y como las cosas humanas no son eternas, especialmente la vida de los hombres, y no teniendo la de don Quijote el privilegio del

cielo de detener su curso, llegó su fin cuando él menos lo pensaba. Ya por la melancolía que le causaba el verse vencido, o ya por la disposición del cielo, que así lo ordenaba, le vino una fiebre, que lo tuvo seis días en la cama.

Fueron a visitarlo el cura, el bachiller y el barbero. Sancho Panza, su fiel escudero, no se quitaba de su lado.

Todos creían que la melancolía por la derrota o por no haber visto a su Dulcinea eran la causa de su enfermedad, así que intentaban alegrarlo de todas las maneras, pero don Quijote no conseguía superar su tristeza.

Los amigos llamaron al médico, le tomó el pulso y no le agradó mucho, y dijo que atendiese a la salud de su alma, porque la del cuerpo corría peligro. Don Quijote oyó todo esto con ánimo sosegado; pero no su ama, su sobrina y su escudero, los cuales empezaron a llorar como si ya estuviera muerto. Entonces, don Quijote pidió a todos que lo dejasen solo porque quería dormir un poco. Así lo hicieron, y durmió de un tirón más de seis horas, tanto que el ama y la sobrina pensaron que se iba a quedar en el sueño. En cambio despertó, y dando una gran voz, dijo:

—¡Bendito sea el poderoso Dios, que tanto bien me ha hecho! Sus misericordias no tienen límites, ni los pecados de los hombres las impiden.

La sobrina que lo oyó le preguntó:

—¿Qué es lo que vuestra merced dice, señor? ¿Qué misericordias son estas o qué pecados de los hombres?

—Las misericordias, sobrina mía —respondió don Quijote—, son las que en este instante ha usado Dios conmigo. Yo tengo juicio, ya libre y claro, sin las sombras de la ignorancia que sobre él me pusieron las lecturas de los detestables libros de caballerías. Ya conozco sus disparates, y siento solo no tener tiempo para leer otros libros que sean luz del alma. Sé, sobrina, que estoy a punto de morir, y no quiero que se confirme con mi muerte la fama de loco que ha merecido mi vida. Llama a mis buenos amigos: al cura, al bachiller Carrasco y a Nicolás, el barbero, porque quiero confesarme y hacer mi testamento.

Apenas entraron los tres, don Quijote les dijo:

—Alegraos conmigo, buenos señores, de que ya no soy don Quijote de la Mancha, sino Alonso Quijano el Bueno. Ahora soy enemigo de todos los caballeros y de todas las historias aburridas de la andante caballería. Por misericordia de Dios, he experimentado el castigo en cabeza propia, y las abomino. Yo, señores, siento que me estoy muriendo a toda prisa. Quiero un confesor que me confiese y un escribano que haga mi testamento.

El cura hizo salir a la gente, y lo confesó. Entre tanto, el bachiller fue a buscar al escribano, y volvió poco después junto con Sancho Panza.

Cuando se acabó la confesión, el cura salió diciendo:

—Verdaderamente se muere y verdaderamente está en su juicio Alonso Quijano el Bueno. Bien podemos entrar para que haga su testamento.

El ama, la sobrina y Sancho Panza entraron llorando y suspirando. Cuando entró el escribano, don Quijote dijo:

—Es mi voluntad que de ciertos dineros que Sancho Panza tiene, no se le pida cuenta alguna.

Después, dirigiéndose a Sancho:

—Perdóname, amigo, de la ocasión que te he dado de parecer loco como yo, haciéndote caer en el error de que hubo y hay caballeros andantes en el mundo.

—¡Ay! —respondió Sancho llorando—. No se muera vuestra merced y viva muchos años, porque la mayor locura que puede

hacer un hombre en esta vida es dejarse morir de melancolía. Se levante de esa cama, y vámonos al campo vestidos de pastores como tenemos concertado; quizá encontremos a su señora Dulcinea. Y si es que se muere de pesar de verse vencido, me eche a mí la culpa, diciendo que por haber puesto mal la cincha[1] a Rocinante lo derribaron...

—Señores —dijo don Quijote—, yo fui loco y ya soy cuerdo. Fui don Quijote de la Mancha, y ahora soy Alonso Quijano el Bueno. Deseo que mi arrepentimiento pueda devolverme la estimación que de mí se tenía. Que el escribano siga adelante. Dejo a mi sobrina Antonia Quijana, aquí presente, toda mi hacienda. Es mi voluntad que, si mi sobrina quiere casarse, se case con un hombre que no haya leído ni visto nunca libros de caballerías. Quiero que paguen el salario que debo por el tiempo que mi ama me ha servido, más veinte ducados para un vestido.

Cerró con esto el testamento, se desmayó y se tendió de largo a largo en la cama.

Quedaron todos muy tristes y preocupados, pero con todo, la sobrina comía, el ama brindaba y Sancho Panza se regocijaba; que esto del heredar algo borra en el heredero la memoria de la pena que puede causar el muerto.

Durante los tres días que aún vivió, se desmayaba a menudo.

En fin, llegó el último día de don Quijote. Después de haber recibido los sacramentos, entre compasiones y lágrimas de los que allí se hallaban, dio su espíritu: quiero decir que se murió.

Este fin tuvo el ingenioso hidalgo de la Mancha, cuyo lugar no quiso poner el autor, por dejar que todas las villas y lugares de la Mancha contendiesen entre sí por tenérsele por suyo.

---

1. **cincha** : banda de cuero con la que se sujeta la silla al caballo.

# Después de leer

## Comprensión lectora

DELE **1** Después de haber leído el capítulo deberá contestar a las preguntas (1-6). Seleccione la respuesta correcta (a, b, c).

**1** El viaje de don Quijote y Sancho al pueblo transcurre...
- a ☐ entre nuevas aventuras.
- b ☐ sin que les pase nada importante.
- c ☐ en silencio.

**2** Apenas llegaron al pueblo...
- a ☐ Sancho se arrodilló.
- b ☐ don Quijote dio un abrazo al cura y al bachiller.
- c ☐ Sancho Panza abrió los brazos.

**3** Después de oír la conversación de don Quijote con sus amigos...
- a ☐ la sobrina le dice que se haga pastor.
- b ☐ el ama le dice que mejor caballero andante.
- c ☐ ambas le dicen que se quede tranquilo en su casa.

**4** Todos creen que su enfermedad se debe...
- a ☐ al cansancio.
- b ☐ a la imposibilidad de seguir siendo caballero andante.
- c ☐ a la tristeza por haber perdido el duelo con el Caballero de la Blanca Luna.

**5** Cuando el médico le dijo a don Quijote que estaba mal...
- a ☐ don Quijote se quedó muy triste.
- b ☐ Sancho Panza empezó a llorar.
- c ☐ su ama y su sobrina se quedaron tranquilas.

**6** Al despertarse, don Quijote se da cuenta de que...
- a ☐ su vida no ha sido en balde.
- b ☐ ya no está loco.
- c ☐ es un ignorante.

DELE **2** Después de haber leído la novela, relacione las frases (1-12) con los personajes que las dicen (a-l).

a   Don Quijote

b   La sobrina

c   Un mercader

d   El ventero

e   Los molineros

f   Sancho Panza

g   Dorotea

h   Don Quijote

i   Sansón Carrasco

j   El ama

k   El Caballero de la Blanca Luna

l   Campesina

1 ☐ —Mostradnos algún retrato de ella, que aunque sea tuerta, para complaceros diremos en su favor lo que queráis.

2 ☐ —Lo que tiene que hacer vuestra merced es pagarme la paja y la cebada, la cena y las camas.

3 ☐ —De gente bien nacida es agradecer los beneficios que reciben, y uno de los pecados que a Dios más ofende es la ingratitud.

4 ☐ —Valeroso caballero, quiero pediros un favor y no me levantaré si no me es otorgado el don que pido.

5 ☐ —¡Ay!, que me maten si no quiere mi señor volver a ser caballero andante.

6 ☐ —Quítense del medio y déjennos pasar que tenemos prisa.

7 ☐ —¡Demonios de hombres! ¿Dónde vais? ¿Venís desesperados que queréis ahogaros y haceros pedazos en estas ruedas?

8 ☐ —Que me maten si no estamos ya en el lugar del fuego o bien cerca, porque mi barba se me ha chamuscado y siento el calor.

9 ☐ —Insigne caballero, quiero hacerte confesar que mi dama es más hermosa que tu Dulcinea del Toboso.

10 ☐ —No digáis a don Quijote quién soy, para que mis buenos pensamientos tengan un buen resultado y pueda recobrar su juicio.

11 ☐ —Mire, señor, tome mi consejo: estése en su casa, atienda a su hacienda, confiese a menudo y favorezca a los pobres.

12 ☐ —Ahora soy enemigo de todos los caballeros y de todas las historias aburridas de la andante caballería.

### Gramática

**Lea el texto y rellene los huecos (1-14) con la opción correcta (a, b, c).**

## Un don Quijote espacial

Europa cuenta con un nuevo don Quijote, esta vez espacial, armado de sondas y no lanzas, para atajar los asteroides que se acercan demasiado a la Tierra, una nueva amenaza más real **(1)** ......... los molinos manchegos que atemorizaban al hidalgo caballero de la literatura española.

La Agencia Espacial Europea (ESA) desarrolla el programa *Don Quijote* **(2)** ......... hace casi diez años para desviar los asteroides ya identificados **(3)** ......... una posible colisión con la Tierra.

El 2012DA14 **(4)** ......... en febrero de 2013 la máxima aproximación a la superficie terrestre (27.700 kilómetros), por debajo de la órbita lunar **(5)** ......... incluso bajo la de muchos satélites artificiales.

Con la proliferación de más de 6.500 asteroides del sistema solar en el espacio más cercano, la propuesta de la Ciencia es **(6)** ......... preparados para responder a **(7)** ......... amenaza. Un nuevo impacto es cuestión de tiempo. Ya ha ocurrido y **(8)** ......... a ocurrir. El trabajo de detección en tiempo real de los asteroides y su advertencia es primordial para establecer los potenciales riesgos.

Los asteroides son **(9)** ......... amenaza real para la Tierra pero la tecnología para alejarlos a voluntad, **(10)** ........., es sólo cuestión de investigación y estudio para determinar **(11)** ......... es el método más eficaz y seguro.

El *Don Quijote* se **(12)** ......... a los asteroides con dos sondas que a modo de "carambola" juegan con la fuerza de gravedad de la Tierra y el planeta Venus para impactar contra el asteroide identificado como una amenaza para desviarlo.

"Don Quijote contra los asteroides", **(13)** ......... no es una nueva versión futurista de la novela de Cervantes,

cuenta con dos sondas espaciales para realizar su doble cometido: enviar un orbitador, llamado *Sancho*, al asteroide para estudiar sus características físicas e "impactar", con otra llamada *Hidalgo*, que choca con el asteroide y cambia su trayectoria.

El concepto de misión de *Don Quijote*, (**14**) ……… reconocido internacionalmente como "la mejor solución a día de hoy para mitigar un posible impacto de un asteroide contra la Tierra".

| | | | | | | | | |
|---|---|---|---|---|---|---|---|---|
| **1** | **a** | de | **b** | que | **c** | en |
| **2** | **a** | hasta | **b** | hacia | **c** | desde |
| **3** | **a** | antes | **b** | ante | **c** | delante |
| **4** | **a** | alcancé | **b** | ha alcanzado | **c** | alcanzó |
| **5** | **a** | e | **b** | y | **c** | o |
| **6** | **a** | ser | **b** | ir | **c** | estar |
| **7** | **a** | suya | **b** | su | **c** | la su |
| **8** | **a** | vuelve | **b** | volverá | **c** | volvería |
| **9** | **a** | un | **b** | la | **c** | una |
| **10** | **a** | existe | **b** | hay | **c** | está |
| **11** | **a** | cual | **b** | quien | **c** | cuál |
| **12** | **a** | confronta | **b** | enfrenta | **c** | afronta |
| **13** | **a** | el que | **b** | el cual | **c** | que |
| **14** | **a** | es | **b** | ha sido | **c** | estuvo |

**Expresión e interacción orales**

DELE **4** En la página 115 del capítulo hay un dibujo. Usted tiene que describirlo durante 3 ó 4 minutos.

Estos son algunos de los aspectos que puede comentar:

- ¿Dónde están estas personas y quiénes son?
- ¿Qué relación cree que hay entre ellas?
- ¿Cómo imagina que es cada una de estas personas?
- ¿Qué está pasando? ¿Por qué?
- ¿Cómo cree que va a terminar la situación?

"...el lugar de la Mancha"

ARGAMASILLA DE ALBA

# La tierra de don Quijote:
## *Castilla-La Mancha*

La Comunidad Autónoma de Castilla–La Mancha es la tercera más grande de España. Se encuentra en el corazón de la Península Ibérica y ocupa la parte sur de la meseta.

La componen cinco provincias: Toledo que es la capital, Guadalajara, Ciudad Real, Cuenca y Albacete.

Cuatro ríos bañan esta Comunidad: el Júcar y el Segura cuyas aguas van al Mediterráneo, y el Tajo y el Guadiana que van al Atlántico.

De su rico patrimonio artístico y cultural, hay que destacar las ciudades de Toledo y Cuenca, declaradas por la UNESCO Patrimonio de la Humanidad.

Las Casas Colgadas. Cuenca.

El nombre de La Mancha, derivado de la denominación árabe "AL-Mansha" – tierra seca – distingue universalmente a una de las regiones más hermosas y atrayentes de nuestro planeta. Como lugares fronterizos durante la Reconquista, estas tierras se encontraron dominadas alternativamente por cristianos y moros. Finalmente la Orden Militar de Calatrava se la arrebató a los árabes.

Pero para comprender mejor su geografía, su historia, y la inmensidad de sus paisajes, no podemos prescindir de Cervantes y, sobre todo, de don Quijote, el Señor de La Mancha.

En el centro del inmenso altiplano, se encuentra la villa de Argamasilla de Alba, cruce de caminos y epicentro histórico-cultural de La Mancha. En una cárcel de ese pueblo se asegura que Cervantes gestó la inmortal obra *El ingenioso hidalgo don Quijote de la Mancha*. Según la tradición, Argamasilla sería pues la cuna de *don Quijote*.

Hoy en día se pueden contemplar las maravillosas llanuras de horizontes sin fin, en la que se combinan los mil distintos colores de los cultivos, los pastos y los terrenos yermos o arbolados. Todavía se puede encontrar, como en tiempos de Cervantes, la figura inmutable del pastor ante el paso de los siglos, o la del labrador realizando sus labores con herramientas de otros tiempos.

Los molinos de viento.

La escasez de precipitaciones, donde no llueve durante las estaciones de primavera y otoño, es la causa principal del retraso económico y de que una buena parte de sus tierras se encuentre dedicada al cultivo de secano y a pastos para ganado lanar. La densidad de población es una de las más bajas de España, 21 habitantes por kilómetro cuadrado.

Los olivares ocupan grandes extensiones en La Mancha, pero se van sustituyendo poco a poco por los girasoles, de cultivo más fácil y económico. También el viñedo es un cultivo de gran importancia.

El molino de viento se adapta perfectamente con estos paisajes y su presencia resulta tan armoniosa y natural como la de los olivos o las encinas. Los vientos hinchan siempre las velas de sus aspas.

En algunas colinas han aparecido una nueva especie de gigantes: los molinos generadores que transforman la energía eólica en eléctrica. Es la aportación de La Mancha al desarrollo sostenible de la Comunidad. El mismo viento que hizo posible en otros tiempos la conversión del

Las navajas de Albacete.

trigo en harina para la elaboración del pan de cada día, sigue siendo motor de todo tipo de industrias que florecen en la región.

Entre los muchos atractivos, no podemos olvidar su gastronomía. Los mismos alimentos descritos en la novela que comían los hidalgos, los bachilleres, los escuderos y los pastores, siguen siendo platos cotidianos en la actualidad. La "olla de algo más vaca que carnero" es la actual "olla podrida"; los famosos "duelos y quebrantos" (huevos revueltos con jamón, chorizo y tocino), igual como el ama y la sobrina los servían a la mesa de don Quijote, pueden degustarse hoy en las ventas manchegas y en los paradores y restaurantes.

La fabricación de tinajas, los cuchillos de Santa Cruz de Mudena, las navajas de Albacete y la alfarería de Cuenca, son algunas de las producciones artesanales más importantes, sin olvidar la fabricación de guitarras, botas de vino y otros artículos hechos a mano.

El asno, llamado vulgarmente burro, constituye parte integrante del paisaje y de la vida de los pueblos y campos manchegos. Al igual que los puercos, gallinas, ocas y demás animales domésticos, que bien cuidados y alimentados aseguraban el sustento para toda la familia. Un corral y un huerto bastaban para cubrir las necesidades de un hogar.

Cuenca.

En las festividades que se celebran, está presente el folclore manchego con ocasión de la vendimia, la recogida de la oliva o la cosecha del azafrán. Se canta y se baila acompañados por la guitarra, pandereta, bandurrias y guitarras.

La Mancha, inmortalizada por la pluma de Cervantes, ofrece un rico patrimonio histórico-artístico, una inmensa variedad de ecosistemas, junto a la afabilidad de sus gentes, su riqueza gastronómica y su tradición artesana.

Cervantes creó un personaje imaginario que nos parece real y lo enfrentó con una realidad que se transfigura en un universo imaginario, una tierra donde las posadas son castillos encantados, las campesinas son damas de alto linaje, y los molinos son gigantes que giran sus largos brazos movidos por el viento. Ese lugar existía y sigue existiendo, con todos sus contrastes y su austera belleza. Pero desde que leímos la novela ya no lo podemos ver con los mismos ojos.

**DELE ❶** Después de leer el texto debe contestar a las preguntas (1-7). Seleccione la respuesta correcta (a, b, c).

**1** Dice el texto que Castilla-La Mancha...

a ☐ se encuentra en el sur de España.

b ☐ es una de las Comunidades Autónomas más grandes de España.

c ☐ tiene un río, el Tajo, que desemboca en el Mediterráneo.

**2** Según el texto, una organización internacional...

a ☐ ha dicho que Toledo es la capital de la Comunidad.

b ☐ ha declarado dos ciudades Patrimonio de la Humanidad.

c ☐ ha dicho que Cuenca y Toledo son las más importantes.

**3** En el texto se dice que en Argamasilla de Alba...

a ☐ nació don Quijote.

b ☐ don Quijote estuvo en la cárcel.

c ☐ Cervantes pensó en escribir la famosa novela.

**4** Se dice que La Mancha es la Comunidad...

a ☐ donde menos llueve en España.

b ☐ una densidad de población de las más bajas de España.

c ☐ que más ganado lanar tiene.

**5** El texto nos informa de que para mantener a una familia...

a ☐ bastaban algunos animales domésticos.

b ☐ se tenía que cultivar mucha tierra.

c ☐ eran suficientes un corral y un huerto.

**6** Se dice en el texto que el folclore manchego...

a ☐ es muy rico y alegre.

b ☐ se hace cuando ha habido buena cosecha.

c ☐ está vinculado a las labores del campo.

**7** Según el texto, La Mancha es conocida en todo el mundo...

a ☐ por su folclore.

b ☐ por su gastronomía.

c ☐ por la novela de Cervantes.

## Léxico

**1** **Crucigrama. Después de la aventura con los cabreros, Sancho decide darle un nuevo nombre a su amo. Resolviendo las horizontales aparecerá dicho nombre en la columna vertical.**

1 ¿Qué oficio tiene el que, según don Quijote, era un caballero con el yelmo de oro?

2 Así se llama el caballo en el que vuelan Sancho y su amo.

3 Los tres amigos del pueblo de don Quijote eran: el cura, el barbero y el ............... .

4 Apellido del que le roba el asno a Sancho.

5 El pueblo de la amada de don Quijote.

6 Nombre del escudero de la condesa Trifaldi.

7 El verdadero nombre de Dulcinea del Toboso.

8 Don Quijote se bebió el cerebro leyendo libros de ............... .

9 Ciudad donde don Quijote es derrotado en un duelo.

10 El río de la aventura de los molinos de agua.

11 Sierra donde don Quijote se queda haciendo penitencia.

12 La edición francesa de *El Quijote* de 1863 contiene 370 ............... .

13 Emitió una serie de sellos sobre la obra de Cervantes.

14 Pintor surrealista que ha ilustrado la famosa novela.

15 Pintor que ha sintetizado a don Quijote con pocos trazos.

16 Mueve las aspas de los molinos.

17 Don Quijote se levantaba muy pronto, era un gran ............... .

18 Nombre del autor de la novela.

19 Derrotados y de regreso a su pueblo, don Quijote y Sancho deciden hacerse ............... .

20 Plato que don Quijote comía los viernes.

21 La capital de Castilla-La Mancha.

22 El folclore manchego está presente en la recogida de la oliva o en la cosecha del ............... .

23 El programa de "Don Quijote Espacial" sirve para desviar los ............... .

24 Para crear el movimiento necesario para accionar el molino se necesitan el ............... y el viento.

25 Los penitentes con los que se enfrenta don Quijote iban en procesión para pedir la ............... .

26 Sancho fue nombrado ............... de la isla Barataria.

27 Persona ante la que don Quijote hace testamento.

1
2
3
4
5
6
7
8
9
10
11
12
13
14
15
16
17
18
19
20
21
22
23
24
25
26
27

**2** Completa estos refranes uniendo las dos columnas.

| | | | |
|---|---|---|---|
| 1 | Mal de muchos | a | y te diré quién eres |
| 2 | No hay peor sordo | b | cuchillo de palo |
| 3 | A caballo regalado | c | consuelo de tontos |
| 4 | Cada oveja | d | que el que no quiere oír |
| 5 | Dios los cría | e | amanece más temprano |
| 6 | En casa del herrero | f | no le mires el diente |
| 7 | No por mucho madrugar | g | y ellos se juntan |
| 8 | Dime con quién andas | h | con su pareja |
| 9 | Boca sin muelas es | i | de esta agua no beberé |
| 10 | Nadie diga | j | como molino sin piedra |

**3** Sustituye la palabra en negrita de cada frase (1-10) por el sinónimo correspondiente (a-j).

| | | | |
|---|---|---|---|
| a | viéndolo | f | alrededor de |
| b | simulado | g | en cuanto |
| c | encuentro | h | habitantes |
| d | solución | i | cerdos |
| e | trozo | j | sitio |

1. Digan al duque mi señor que desnudo nací y desnudo me **hallo**.
2. Tenía **unos** cincuenta años y como sobrenombre Quijada.
3. Dos hermosas doncellas, **al verle** tan extrañamente vestido, tuvieron miedo.
4. De cuando en cuando rebuznaba un jumento, gruñían **puercos**, maullaban gatos.
5. El cura y el sacristán tienen la lista de todos los **vecinos** del Toboso.
6. Sancho se alejó en su asno y, **apenas** salió del bosque se sentó en un árbol.
7. Todas las cosas tienen **remedio** menos la muerte.
8. Ahí están Rocinante y el rucio en el propio **lugar** donde los dejamos.
9. Todos los presentes habían **fingido** ser sus siervos.
10. Dichoso aquel a quien el cielo dio un **pedazo** de pan, sin que le quede obligación de agradecerlo.